Buitenstaanders

Grote Lijsters
1997 Nr. 2

Grote Lijsters, literaire reeks voor scholieren, is een uitgave van Wolters-Noordhoff, Groningen en Wolters Plantyn, Deurne (België); per jaar verschijnen zes (Nederland) dan wel vijf titels (België).

Titeloverzicht Grote Lijsters 1997 Nederland
(ISBN 9001 54961 6)

Grote Lijsters 1997/1 – J. Bernlef *Onder ijsbergen*
(ISBN 9001 54965 9)
Grote Lijsters 1997/2 – Renate Dorrestein *Buitenstaanders*
(ISBN 9001 54962 2)
Grote Lijsters 1997/3 – Kristien Hemmerechts *Zonder grenzen*
(ISBN 9001 54962 4)
Grote Lijsters 1997/4 – Harry Mulisch *Twee vrouwen*
(ISBN 9001 54966 7)
Grote Lijsters 1997/5 – Joost Zwagerman *Vals licht*
(ISBN 9001 54964 0)
Grote Lijsters 1997/6 – Ed Leeflang *Op Pennewips plek*
(ISBN 9001 54967 5)

Titeloverzicht Grote Lijsters 1997 België (ISBN 90 309 3109 4)

Grote Lijsters 1997/1 – J. Bernlef *Onder ijsbergen*
(ISBN 90 309 3105 1)
Grote Lijsters 1997/2 – Renate Dorrestein *Buitenstaanders*
(ISBN 90 309 3107 8)
Grote Lijsters 1997/3 – Kristien Hemmerechts *Zonder grenzen*
(ISBN 90 309 3108 6)
Grote Lijsters 1997/4 – Harry Mulisch *Twee vrouwen*
(ISBN 90 309 3104 3)
Grote Lijsters 1997/5 – Joost Zwagerman *Vals licht*
(ISBN 90 309 3106 X)

Renate Dorrestein

Buitenstaanders

1997
WOLTERS-NOORDHOFF GRONINGEN
WOLTERS PLANTYN DEURNE

I

Al voordat hun auto op de dijk uit de bocht vloog en in het water belandde, voelden Max en Laurie zich bedrukt. Ze hadden ruzie. Op het moment dat de wielen van de weg loskwamen, dacht Max: nu krijg je me eindelijk waar je me hebben wilt – in een rolstoel.

Laurie dacht niets, maar gilde. Het was haar te moede alsof het einde der tijden was aangebroken. Dat was niet zo: de auto kwam maar half in de rivier terecht. De voorruit raakte onder water, maar de achterkant verkeerde nog op de wal.

Hun twee jongetjes achterin gaven geen enkel geluid. Ze deden net een wedstrijd wie het langste zijn adem kon inhouden. Ze zouden allebei liever stikken dan verliezen. Het was een gelukkig toeval dat ze weigerden om te ademen, want bij het verlaten van het voertuig ging iedereen kopje onder. Dat de auto te water was geraakt was daarentegen geen toeval.

'Waarom zegt papa niets?' vroeg het ene kind.

'Omdat papa heel erg geschrokken is,' zei Laurie klappertandend.

'Moet jij niet huilen? Jij huilt toch altijd?' vroeg het andere.

Laurie verkoos te zwijgen. Ze dacht aan de paspoorten die ze vergeten had uit het dashboardkastje te redden. Ze dacht aan de kofferruimte vol gestreken vakantiebloesjes. Ze dacht aan de broodjes met paté en brie die nu door de rivier dreven. Ze dacht: zou de verzekering dit dekken?

'Max,' zei ze, 'we moeten ergens telefoneren.'

Haar echtgenoot zat in elkaar gedoken in de berm. Langzaam hief hij zijn hoofd en keek haar zonder uitdrukking aan. Er liep een dun straaltje modder langs zijn slaap. Het fluitekruid geurde.

'Max,' zei Laurie weer. Ze raakte zijn schouder aan. 'We moeten iets doen.'

Max deed zijn mond open. Met vermoeide stem zei hij: 'Kwaak, kwaak, kwaak.' Dat was alles. Het was wel erg weinig.

Nu begon het jongste kind te huilen. 'Nou gaat onze vakantie zeker weer niet door, hè?' En de oudste jammerde: 'Jawel, hè mam? We gaan nou gewoon met de trein, hè mam?'

'Dit,' zei Laurie radeloos, 'is nog leuker dan die keer toen we onze imperiaal verloren en alle auto's over onze kleren reden. Dit wordt het leukste avontuur dat we ooit beleefd hebben. Straks komt er een grote takelwagen die de auto uit het water hijst.'

De jongste hield op met balken. 'Zitten er nou kikkers in?'

'Stekelbaarsjes!' riep de oudste bazig.

'Misschien wel een zeemeermin,' zei Laurie ondanks de ernst van het moment.

'Kwaak, kwaak, kwaak,' deed Max ogenblikkelijk.

Er moest ondertussen toch eens iets gebeuren. Laurie keek om zich heen. De weg was verlaten. Nergens waren er tekenen van menselijke aanwezigheid. Maar er zou toch wel een dorp in de nabije omgeving zijn? 'We bevinden ons in het dichtstbevolkte land van Europa,' zei Laurie bezwerend, 'het moet hier wemelen van de mensen.'

'Ik zie alleen een klein meisje,' zei de jongste.

Over het jaagpad langs de dijk naderde een wezentje. De zon glansde op het witblonde haar. Er waren bloemen in gestoken. Wiegend met haar hoofd en druk gebarend met haar handen was het kind kennelijk diep in gesprek met zichzelf.

'Niet goed snik,' verklaarde de oudste. Hij stond wijdbeens in het gras met zijn handen in de zakken van zijn spijkerbroek, zijn hoofd achterover, zijn krullen vochtig in zijn nek. Onlogisch dacht Laurie: Ik heb heel mooie kinderen.

Het kleine meisje kwam dichterbij. Haar mongoloïde trekken waren nu goed zichtbaar. Haar blote benen waren bemodderd. Ze droeg veel te grote gele laarzen en een ouderwets schort. Rakelings passeerde ze hen, in zichzelf zoemend en brommend met een lage, kelige stem.

'Klein meisje!' riep Laurie. Haar zoons giechelden en smiespelden achter hun hand. Het kind stond stil en keek zonder verbazing achterom. Natte man, natte vrouw, natte jongetjes. Toen liep ze door.

'Kom op jongens,' zei Laurie, 'achter haar aan. Ze loopt hier heus niet zomaar in haar eentje te dwalen. Ze woont hier natuurlijk ergens in de buurt. Vooruit.'

Zingend en neuriënd huppelde het meisje zigzag voort. Haastig schudde Laurie aan Max. Ze rammelde hem door elkaar. Hij keek dwars door haar heen. Ze voelde een verschrikkelijke kwaadheid in zich opkomen. Ze vond het allemaal ontzettend oneerlijk.

Max was iemand die meende dat iedereen hem opmerkte, terwijl Laurie doorgaans hoopte dat ze onopgemerkt zou blijven. Max vulde zijn dagen met het maken van carrière. Lauries carrière was het verzorgen van Max en hun twee jongetjes. Max vond zichzelf heel goed in zijn carrière en zijn vrouw tamelijk matig in de hare. Sinds ze wist dat hij een vriendin had, besefte Laurie zelf ook dat ze gefaald had in haar opdracht in het leven, in de legitimatie van haar bestaan: nodig zijn in dat van anderen.

Gelukkig hadden de jongetjes haar nog nodig. Max bemoeide zich alleen met hen als zijn maîtresse, zijn werk of zijn cricketclub hem niet opeiste. Max zag er fantastisch uit in zijn zijden pyjama, zijn grey flannel suit en zijn hagelwitte sporttenue. Wassen en strijken kon Laurie tenminste als de beste.

Max vatte de zijnen altijd samen onder de volgende noemer: een gewoon gelukkig gezin. Hij wist niet dat Laurie een pond kersenbonbons per dag at. Dat hoefde hij ook niet te weten. Hij was nu met vakantie. Dit was niet het moment om stil te staan bij hun problemen.

Tot de vele problemen van Max en Laurie behoorde, dat ze een verschillende perceptie van de werkelijkheid hadden. Zoiets kan enorme gevolgen hebben.

Max als een slaapwandelaar met zich meevoerend, sloot Laurie achter de wonderlijke optocht aan. Het leek de rattenvanger van Hamelen wel. Haar zoons stompten elkaar in de zij van het lachen terwijl ze de stapjes en gebaren van het meisje imiteerden.

Het kind sprong licht van de dijk en stak de weg over. 'Misschien woont ze daar wel. Is er een pad?' vroeg Laurie, naar de bosrand langs de weg turend.

'Ze gaat de bosjes in,' rapporteerde de oudste. 'Mee,' beval Laurie. Er was geen pad. Groene, frisse geuren omwolkten hen. Watervlug schoot het meisje tussen de struiken door.

'Mam,' drensde de jongste, 'er is hier helemaal geen huis. Er zijn alleen maar brandnetels.'

Lauries arm begon pijn te doen van het gesleep en getrek aan de levenloze Max. Met enig geweld rukte ze hem dwars door een bloeiende meidoorn heen.

'Papa bloedt,' zei de oudste verontrust.

'Dat komt van die takjes,' zei Laurie kattig. Ze kreeg verschrikkelijk veel zin om Max languit in de varens te werpen.

In de verte schemerde het witte schort tussen het groen. Op een open plek hurkte het meisje en deed een plas. 'Ze heeft geen onderbroek aan,' observeerde de oudste.

Met beide handen harkte het kind aarde over de natte plek. Ze verpulverde wat bladeren. Ze legde stokjes en steentjes als een mozaïek op haar werkstuk. Ze zong erbij. Het duurde even voordat Laurie in de sombere, monotone melodie 'De uil zat in de olmen' herkende. Zonder een enkele vergissing bromzong het kind het lied uit. Toen veegde ze haar handen aan haar schort af, draaide zich om en begon het zojuist doorlopen traject in omgekeerde volgorde af te leggen.

Laurie voelde zich heel dwaas toen ze weer in het knetterende zonlicht op de dijk stonden. Haar jongetjes begonnen ouwelijke bekjes te krijgen. Max hing als lood aan haar arm. En zo te zien was de auto ginder nog wat dieper in de rivier gegleden. 'Kwaak, kwaak, kwaak,' schreeuwde Max onverhoeds. 'Vooruit,' zei Laurie grimmig.

Het meisje leek nu zeer doelbewust te lopen. Ze nam grote stappen en zwaaide met haar armen. Ten slotte stond ze stil. Ze keek over haar schouder, alsof ze al die tijd geweten had dat ze niet alleen was. Ze glimlachte gul. Ze zei: 'Hier is het.'

De oprijlaan was zo dicht begroeid dat hij haast onzichtbaar was. Zonder het kind waren ze er zeker voorbijgelopen. Aan het einde ervan rees een donkerrood huis met geblindeerde ramen op.

'Wat eng, hè mam? Het lijkt wel een spookhuis,' fluisterde de oudste.

'Als de spoken maar telefoon hebben,' zei Laurie zonder er zelf in te geloven. Ze dacht aan het gemaaide gras in haar eigen voortuin en aan de glanzende luxaflex met daarachter de hagelwitte vitrage.

'Kom maar,' zei het meisje zeer gearticuleerd bij het hek. Als een dwaallichtje ging ze hen voor over de met donkere elzen overhuifde oprit. Het grindpad liep langs het huis een grote verwaarloosde tuin in. Er waren molshopen in het gazon. Op een afgebrokkeld muurtje zat een rode kater iets te eten dat alleen maar een muis kon zijn. Daarachter werden verspreid liggende bijgebouwen zichtbaar. Een loods van gegolfd plaatijzer. Een elegante, maar verveloze theekoepel. Een botenhuis dat over een zijstroompje van de rivier was gebouwd. Een woonwagen waarvan de deur openstond. Hier en daar stonden bakken met uitgegroeide geraniums, alsof iemand zonder doel of plan getracht had de tuin te verfraaien. Aan een boom hing een schommel. In een ouderwetse badkuip midden in het hoge gras lag een berg kinderspeelgoed.

'Wat een troep,' zei de oudste vol ontzag.

'Ik ga niet naar binnen hoor,' zei de jongste terwijl hij aan Lauries vrije arm ging hangen.

'Wees blij dat we er zijn,' zei ze.

'Waar?' vroeg de oudste snedig.

Het was het huis waar Agrippina met haar familie woonde. Nou ja, met wat voor haar familie doorging. Alleen Lupo was haar eigen zoon. Wibbe was een soort aangenomen kind, de meisjes min of meer opgedrongen kleinkinderen en Marrie een vondeling. Gelukkig dat Agrippina ook Evertje Polder nog had.

Haar naam was nog niet eens het opmerklijkste aan Agrippina; ze hield bovendien van vers bloed. Velen vermoedden het, maar niemand wilde echt zekerheid. Alleen Evertje Polder was op de

hoogte van de feiten. Dat was een van de redenen van hun bovenmenselijke verbondenheid. Ze trokken al zo lang met elkaar op,
dat ze de tel van de jaren waren kwijtgeraakt. Dat trof, want
Agrippina hield niet van jaren bijhouden. 'Ik ben geen achttien
meer,' gaf ze sinds haar achtenzestigste verjaardag toe. Het was
alweer een tijdje geleden dat ze achtenzestig was geworden. En
wat Evertje Polder betrof, iedereen die probeerde uit te rekenen
hoe oud zij ondertussen niet moest zijn, werd zonder meer duizelig.

De dag die voor Max en Laurie het begin van hun vakantie
inluidde, was voor Agrippina de dag van het feest. Lang voordat
Max en Laurie kibbelend te water geraakt waren, was Agrippina
ontwaakt en had ze gedacht: 'Vandaag is het feest.' Het was zo
vroeg, dat iedereen nog sliep. Evertje Polder en zij slaagden erin,
het huis onopgemerkt te verlaten. Op het jaagpad langs het water
was het nog betrekkelijk koel, maar Agrippina genoot er niet van.
Ze was alweer warm en moe van al het gehaast – het was ver-
bazend hoeveel tijd alles haar tegenwoordig kostte. Was er maar
geen tijd, dan was er ook geen te laat. Humeurig zei ze: 'De rivier
stinkt. Misschien krijgen we eindelijk regen. En loop toch niet
altijd zo te treuzelen.'

Agrippina's ogen waren helderblauw. Die van Evertje Polder
waren bruin. Ook verder leken ze in niets op elkaar.

Als een luchtspiegeling zag het kind dat bij de rivier aan het
spelen was hen in de verte naderen, Agrippina met haar hardroze
sjaals en haar oranje parasol en Evertje Polder zoals altijd trouw
aan haar zij. Het kind had geen besef van uren, van vroeg opstaan
en op tijd naar bed, ze kwam en ze ging, ze deed en ze liet, ze
handelde naar behoefte. Nu staakte ze haar gesop door de lauwe
plassen aan de waterkant en stond een moment roerloos met haar
glimmend gele laarzen in de blubber. Ze sloeg aan het wikken en
wegen. Wiegend met haar hoofd bemompelde ze de mogelijkheden. 'Theetijd,' besloot ze ten slotte en maakte gebaren alsof ze
een tafel dekte. Haar mond zakte open, haar tong kiepte naar
buiten, haar brilletje scharrelde scheef van haar neus. Secuur
schonk ze de thee in en krabbelde de dijk op, de dampende kopjes
met zorg van zich afhoudend. 'Lekker!' riep ze gebiedend.

Haar verschijning kwam tamelijk plotseling. Agrippina en Evertje Polder schrokken zich een ongeluk.

'Marrie!' riep Agrippina uit. Ze vond het leven heus al enerverend genoeg zonder duveltjes uit een doosje. Hoe zou een dag die zo begon ooit rustig kunnen eindigen? Toen ze haar adem terughad, zei ze: 'Als je tegen iemand zegt dat je ons gezien hebt, zal ik je zonder pardon verdrinken.'

Mar wachtte af, haar armen gestrekt om niet te morsen.

'Grote genade!' riep Agrippina, haar parasol dichtklappend en hem in het gras stekend. 'Kom dan maar hier. Wat is het vandaag, slagroomgebak of champagne?'

'Thee,' zei Mar.

'Juist,' zei Agrippina. 'Wat stom van me. Een wolkje melk, alsjeblieft. En geen suiker voor Evertje Polder, want die is al een wandelende pudding. Geen commentaar, Evertje Polder.'

'Pudding!' juichte Mar en reikte een schaaltje aan.

Agrippina hapte in het luchtledige. Ze blies haar wangen bol. Ze kauwde. Niemand kon beweren dat zij haar best niet deed.

'Gezellig,' zei Mar. Ze ging tussen het fluitekruid zitten. Evertje Polder volgde haar voorbeeld.

'Enorm,' zei Agrippina. Ze bukte zich om haar linkersok op te halen. Meteen was er een schittering voor haar ogen en een brommend gezoem in haar oren. Ze had haar medicijn nodig. Ze had geen tijd voor Mar. Ze stond haar tijd, haar kostbare tijd, te verspillen.

'We moeten verder,' zei ze tegen Evertje Polder. 'Dag Mar. Marrie! Doe niet net alsof ik lucht ben. Je kunt me toch wel een kus geven als ik wegga?'

'Goed hoor,' zei Mar. Haar verhouding met de kosmos was een verrukkelijk simpele. Mens en dier en tafelpoot werden door haar in gelijke mate en zonder onderscheid bemind. Agrippina, die al geruime tijd niet meer aan liefhebben deed, benijdde haar. Ze talmde. Ze zei: 'Zal ik een bloem in je haar steken? Dan ben je het mooiste meisje van het bal. Nee, niet die gele. Dat is stinkende gouwe, voor als je het aan je lever hebt. Geef nog maar zo'n witte, zo, achter je oor.'

'Mooi?' vroeg Mar terwijl ze haar ronde hoofd betastte. Haar gebaren waren levendig, haar ogen schoten heen en weer, ze was zo beweeglijk dat het Agrippina uitputte om naar haar te kijken. Toen het kind ook nog haar armen om haar middel sloeg en springerig begon te dansen, werd het de oude vrouw te machtig. Afgunstig zei ze: 'Pas op m'n tenen. En nu moet ik me echt aan mijn bezigheden elders wijden. Zul je zoet en braaf zijn?'

Mar ging met een plof in het gras zitten en keek niet meer op toen Agrippina zich nog eens omdraaide om te zwaaien. Die voelde zich beledigd. Wat had men aan gevoelens? Wat had men eraan om zich in aardigheden uit te sloven als men er niets voor terugkreeg? Dan stapelde de ene teleurstelling zich maar op de andere. 'Het is verstandiger,' zei Agrippina, 'om in alle omstandigheden zo koel als een ijslollie te blijven. Ik bewonder jou, Evertje Polder. Jou heb ik nog nooit het hoofd zien verliezen. Als ik jou niet had, werd ik subiet net zo gek als de rest. Moeten we hier al rechtsaf? Nee, daar bij het riet.'

De waterkant rook naar bederf. Het gistte en broeide er. Het dampte. Het zonlicht achter zich latend, stapte Agrippina de schimmenwereld van de hoge rietkraag binnen. Het gorgelde onder haar voeten. Een aangename huiver doorvoer haar. Ze wist wat ze wilde en ze wilde het nu. O, Agrippina hield van vers bloed! Ze had het natuurlijk nodig om jong en mooi te blijven, maar ze genoot ook van haar medicijn. Toen zei ze: 'Pech. De moeder zit erop. Jaag jij haar eens weg.'

De grote witte zwaan kwam klapwiekend overeind zodra ze Evertje Polder in haar ontzaglijke breedheid ontwaarde. Blazend van paniek keek ze van een afstand toe hoe Agrippina zich gretig over haar nest boog. Die werd bijna misselijk van teleurstelling. Hoe nietig waren de kuikens nog – het leek wel alsof ze eeuwig klein bleven. Dag na dag moest ze zich overtuigen van de noodzaak tot geduld, dag na dag moest ze zich troosten met de wetenschap dat ze zichzelf alleen maar zou schaden door te veel haast.

Klam van zelfbeheersing richtte Agrippina zich weer op. Haar gulzigheid had een eigenaardige smaak in haar mond gebracht. Ze zegende haar ijzeren wilskracht. Aan de andere kant was het natuurlijk ook mogelijk dat ze door de frequentie van haar bezoekjes niet in staat was, de vooruitgang juist te beoordelen. Misschien waren de jongen in werkelijkheid een stuk groter dan ze dacht.

Ze ving nog net Evertje Polders lakonieke blik op. Beschaamd hees ze andermaal haar sok op, bracht haar sjaals in het gerede en begon zo onverschillig mogelijk de dijk weer op te klauteren. 'We kunnen beter snel naar huis gaan, voordat iemand ons mist,' riep ze over haar schouder. Er was nog meer reden tot haast. Ze was die ochtend helemaal vergeten om haar ogen te druppelen met belladonna – geen glanzender blik dan een belladonnablik. En vervolgens moesten er taarten gebakken worden voor het feest. Alsof haar dag al niet ruimschoots vergald was door die microscopische kuikens, had ze ook dat feest nog voor de boeg. Niet dat ze iets tegen feesten had. Agrippina had alleen iets tegen feesten waarop een ander dan zijzelf het middelpunt was. Wanneer kwam haar beurt nu eens? Ze wilde haar verhalen vertellen. Ze had zo verschrikkelijk veel te vertellen. 'Ik heb het druk, moeder,' zou Lupo, haar bloedeigen zoon, zeggen. 'Nou even niet,' zou Biba zeggen. 'Dat heb je al een miljoen keer verteld,' zou Ebbe zeggen. Nou en, dacht Agrippina kwaad, een goed verhaal bleef toch zeker een goed verhaal? 'Ik zou er heel wat voor over hebben om eens een goed gesprek te voeren,' mompelde ze.

Evertje Polder, die de parasol droeg, zweeg.

Zo gingen ze voort over de dijk, langs de rivier, het hele jaagpad af. De paardebloemen begonnen al te stuiven, maar de dotters waren nog maar pas uit. Bij de bocht gingen ze even aan de oever zitten om op adem te komen. Er groeide bittere veldkers in de berm, waar Agrippina wat van plukte om op te kauwen. Niets was zo bevorderlijk voor de helderheid van denken als bittere veldkers.

In de kromming van de weg stond een nieuwe roodwit geblokte waarschuwingsbalk. Ze moest er de hele tijd naar kijken terwijl ze zich inwendig zat te beklagen over haar lot. Wat had je aan een verhaal zonder gehoor? Wat had je aan een nieuwe jurk zonder publiek? Wat had je aan een feest zonder gasten? Agrippina besloot dat ze zelf handelend zou moeten optreden om in haar

behoefte aan gezelschap te voorzien. Ze stond op om de gevaren-
balk te bekloppen. Erg deugdelijk was zo'n constructie op wanke-
le schragen niet. Het zou niet alleen haar doelen dienen als hij
verdween, het zou eveneens een dienst aan de gemeenschap zijn:
het was een levensgevaarlijk obstakel.

'Met een beetje storm was ie ook in het water beland,' zei
Agrippina verontschuldigend. 'Wel, niets staat ons meer in de
weg om er toch nog een heerlijke dag van te maken. Er valt altijd
wel wat te genieten, Evertje Polder, leer dat van mij. En ik schat
dat die zwanejongen over een dag of vijf, zes, wel bruikbaar zullen
zijn.'

Ze moest maar eens uitkijken naar een polletje polei. Er bestond geen enkel ander kruid dat zo krachtig de groei bevorderde.

Waarschijnlijk was dit het moment geweest waarop Laurie in bed
had liggen huilen, stiekem in haar kussen, om Max niet te storen.
Ze had ineens bedacht dat drie weken vakantie met Max zou neer-
komen op drie weken verlangen, hunkeren en flink zijn. Eigenlijk
was het makkelijker als hij gewoon naar zijn werk ging, had ze
gedacht, want dan kon ze overdag tenminste nog illusies hebben.

Ondertussen openden Biba en Ebbe volmaakt gelijktijdig hun
ogen. Die waren groen. Er hoorden lange blonde haren bij.

'Ik begrijp zelf soms niet hoe ik ze verdraag,' zei Agrippina
dagelijks tegen Evertje Polder. Maar men had het in het leven nu
eenmaal niet altijd voor het kiezen.

Onmiddellijk na het ontwaken begonnen Biba en Ebbe aan het
soort gesprek dat zij zelf zo bijzonder interessant vonden. Anderen werden er meestal draaierig van. Dat kwam, verklaarden
Biba en Ebbe in koor, doordat er verwarring ontstond ten gevolge
van het feit dat zij zo identiek waren als ééneiige zusters maar
konden zijn. Anderen waren van mening, dat dat maar een deel
van de verklaring kon zijn.

'Dat is mijn rok, die je daar pakt,' zei Biba.

'Verder was er niets schoon,' zei Ebbe.

'Het is jouw beurt om te wassen. Ik ben al drie weken aan het
wassen. Ik was me krom.'

'We hadden beurten geruild!'

'Maar daarom kun jij nog niet zomaar mijn schone kleren gebruiken. Trek uit.'

'Ik trek 'm nog liever aan flarden.'

'Ebbe, toe nou.'

'Wat krijg ik van je als ik 'm heel laat?'

'Pas nou op, hij kraakt al. Jij mag de parelmoeren ketting vanavond op het feest dragen.'

'Die heb je al aan Agrippina geleend.'

'Dan pik ik 'm terug.'

'Een oud mens bestelen! Wat krijg ik van je als ik je niet aan oom Lupo verklik?'

'Een dreun op je ogen.'

'Spaar je me als ik je deze rok geef?'

'Ja maar, die was al van mij.'

'Wat wij nodig hebben,' zei Ebbe, nijdig uit de rok stappend, 'is een secretaresse die precies bijhoudt wat op welk moment van wie is. Zo komen we er nooit uit.'

'We zouden overal kaartjes aan kunnen hangen,' stelde Biba voor. Ze was op slag moe, want ze wist nu al wie die kaartjes zou moeten schrijven. 'Kleed je nou aan, anders zijn wij straks de enigen die niets voor Sterres feest gedaan hebben.'

Sterres feest was voor Biba de belangrijkste dag van het jaar.

Ze had de nachtjes slapen die haar ervan scheidden geteld alsof ze nog een klein meisje was. Ebbe ook. Ze was alleen uit gewoonte tegendraads. Ze zei: 'Ik heb het te warm om me aan te kleden. Moet je zien wat een bult ik hier heb.'

'Blijf maar bij oom Lupo uit de buurt, anders verbeeldt hij zich dat hij ook met de vreselijkste karbonkels overdekt raakt. Kijken? Het is vast huidschurft, omdat je je te weinig wast. Of een vlooiebeet.'

'Het is de kus van een vampier,' zei Ebbe, naakt voor de spiegel.

Ze keek naar links, ze keek naar rechts. Ze trok een reeks ontzettende gezichten. Biba zat in de vensterbank en zwaaide met haar benen. 'Kreunde je daarom zo, vannacht?'

'Hartstocht, mevrouwtje,' zei Ebbe voor de spiegel, 'hartstocht is iets prachtigs. Zie ik er niet waanzinnig interessant uit, zo met mijn haar?'

'Je pukkel maakt het erg dramatisch,' zei Biba. 'Daar gaat Wibbe, met een stom petje op. Dag Wibbe!' Ze hing uit het raam en zwaaide.

'Dag Ebbe,' riep Wibbe omhoog. Hij droeg een stapel hout over zijn schouder. Hij werd als de klusjesman beschouwd.

'Ik ben Biba,' schreeuwde Biba.

'Dag Biba,' herstelde Wibbe en hief nogmaals zijn hand.

'Nietwaar, ik ben Biba. Dag Wibbe!' riep Ebbe.

'Dag Biba. Dag Ebbe,' zei Wibbe en sjouwde voort naar het botenhuis.

'Opwindende man,' zei Ebbe.

'Bedek je,' siste Biba, 'of je krijgt een draai om je oren.'

'Wrede meesteres,' zei Ebbe. Ze besnuffelde een bloes.

'Wat je ook aantrekt, stinken zul je toch,' zei Biba.

Ebbe trok het hemd over haar hoofd en bekeek zichzelf in de spiegel. Ze prikte haar vingers in haar oren en stak haar tong uit. Toen ging ze een tijdje op één been staan. Ze werd nooit moe van zulke dingen. Biba wel.

'Nu de onderkant nog,' bracht Biba haar in herinnering.

'Wat ben ik zo?'

'Dame zonder onderbroek.'

'Biba?' zei Ebbe op één been. Ze was beslist geen dame zonder onderbroek. Ze was een spichtig meisje dat het volwassen worden alsmaar uitstelde. 'Biba? Ik verveel me zo.'

'We hebben anders genoeg te doen. We moeten nog van alles voor vanavond doen.'

'Biba? Ik vervéél me zo. Hadden we maar eens iemand om mee te praten.'

'Wat zou je dan zeggen?' vroeg Biba. Biba bezat engelengeduld. Bijna niemand vond het moeilijk om van haar te houden. Ebbe ook niet. Ebbe draaide zich op haar hielen om. 'Ik zou zeggen: neem me mee! Haal me hier weg! Neem me alstublieft mee!' riep ze.

Hierop viel geen antwoord te bedenken. Er was ook niets aan toe te voegen. 'Kom bij die spiegel vandaan,' zei Biba tenslotte. Zo was het net alsof ze met z'n drieën waren.

Dit was ongeveer het moment waarop Laurie het mooie witlinnen pak waarin Max haar graag zag, had aangetrokken. Ze had een ontbijt klaargemaakt waar door de reiskoorts niemand een hap van nam. Ze had de bagage zodanig ingepakt dat het deksel van de kofferruimte niet dicht kon. Max had het helemaal over moeten doen.

Lupo werd die ochtend pas laat wakker. Hij kon de zon op het dak van zijn caravan horen beuken. Lupo woonde uit kiesheid in een caravan achter in Agrippina's tuin: zo hadden de vrouwen het hele huis voor zichzelf.

Lupo rukte aan het doorweekte laken. De rode kater zat op zijn borst en joeg hem het zweet naar de kop. 'Lazer op, Bo,' kraste hij schor. Er lag een doem over de dag die hij niet meteen kon thuisbrengen. Het moest de warmte zijn, gecombineerd met zijn lichte depressie. Ergo, geen reden tot alarm.

Bo zat nog steeds bovenop hem. Hij spon, hij likte zijn staart, hij mepte met een poot naar een bromvlieg, allemaal gelijktijdig. Het was om licht in het hoofd van te worden.

Dampend kwam Lupo overeind, de kat terzijde duwend. Hij ging in de open deur zitten om zich te krabben en over zijn voortijdig kale hoofd te wrijven. Het hielp niet. Uit het botenhuis klonk geklop. Insekten zoemden boven Agrippina's aardbeienplanten. Uit het grote huis aan het einde van het grasveld kwam geen enkel geluid.

Iedere ochtend geloofde Lupo pas dat zijn wereld echt bestond als hij hem gezien, gehoord en geroken had. Ondertussen kneep en kneedde hij zichzelf tot leven, waarbij hij thans constateerde, dat enkele van zijn borstharen grijs begonnen te worden. Hij trok er langdurig aan. Niet te hard, want dat zou schadelijk kunnen zijn. Toen stond hij op om een broek aan te trekken en begaf zich in nog half somnambule toestand naar het prieel, waar zijn dagelijkse arbeid hem wachtte.

Hij opende de deur waarop Ebbe in hanepoten geschreven had LUPO'S LIEFDESBRIEVENFABRIEK. Binnen was het koel en schemerig. Onder een geblokte theedoek stond zijn ontbijt klaar met ernaast een thermosfles koffie en een stapel post. Een stapeltje post slechts. Hij moest maar weer eens gauw een advertentie plaatsen om zijn diensten kenbaar te maken. Dan liep het meestal meteen storm met de opdrachten. William Blake: de bezige bij heeft geen tijd voor verdriet, bedacht Lupo. Onder het eten begon hij al te lezen.

Lupo hield van zijn werk. Hij was zich ervan bewust dat hij een vrij opmerkelijk beroep had. Hij had het zelf gecreëerd. Soms vroeg hij zich af of hij ergens ter wereld collega's bezat. Meestal dacht hij van niet: andere dichters dichtten waarschijnlijk slechts. Zij dachten, meende Lupo, vast niet vaak genoeg aan de woorden van Joseph von Eichendorff: de dichter is het hart der wereld.

Bij zijn post trof hij slechts de gewone verzoeken aan: een brief voor een weggelopen geliefde, voor een vurige minnaar, voor een bedrogen partner (tweemaal), voor een in het ziekenhuis verkerende echtgenote. 'Dankbaar, s.v.p.' stond er nadrukkelijk bij: een bevalling, veronderstelde Lupo verveeld. Allemaal routineklusjes. Lopende-band-werk, precies waar Ebbe hem altijd mee plaagde. 'Hou je grote bek, Ebbe,' zei Biba dan.

Gelukkig bevatte de laatste envelop een interessant geval. Een jonge vrouw schreef: 'Sinds een maand of drie ontmoet ik op mijn werk bijna dagelijks een man in de lift die ik graag nader zou willen leren kennen. Vanwege mijn collega's durf ik hem niet aan te spreken. Ik zou trouwens niet weten wat ik tegen hem zeggen moest. Misschien brengt het hem wel in verlegenheid als een meisje hem aanspreekt. Hij ziet er erg traditioneel uit, weet u, met manchetknopen en zo. Daar ik mijn vader al heel jong verloren heb, voel ik me zeer tot dit type man aangetrokken. Ik zou uw hulp graag willen inroepen om hem een mooie brief te kunnen overhandigen. Met een lieve glimlach. Ik glimlach heel leuk, zeggen ze.'

Wat alleraardigst, dacht Lupo verheugd. Daar kwam tenminste enige creativiteit bij kijken. De overige liefdesverklaringen kon hij zo uit zijn mouw schudden. Archiefwerk. Hij moest ze maar meteen op papier zetten, dan was hij daar vanaf.

Hij nam een pen uit het bakje en koos een vel handgeschept, roomblank papier. Zonder aarzelen begon hij te schrijven. 'Liefste,' schreef hij, 'ik voel me als een lied dat Janis Ian zingt. Ik ben verliefd. Ik wil de slagroom van het leven likken en het gebak laten staan, de béarnaisesaus oplepelen en de asperges laten liggen. Ik wil met jou dansen in de maneschijn.' Enzovoort.

Pas toen hij toevallig opkeek en de meisjes uit het huis zag komen, herinnerde hij zich Sterres feest. Ebbe had haar haar in een paardestaart bij elkaar gebonden en Biba droeg een rieten mand aan haar arm. Ze schermde haar ogen af tegen het zonlicht en zei iets. Toen kregen ze samen een lachbui waaraan geen einde leek te komen. Lupo voelde de tranen in zijn ogen komen. Snel opende hij het raam. 'Biba! Ebbe! Meisjes!'

Als porseleinen herderinnen zo mooi kwamen ze naderbij. Hij had z'n armen wel om hen heen willen slaan, een bezwering willen uitspreken om de zwavel van hun pad te weren.

'Oom Lupo,' zei Ebbe, haar armen in de vensterbank leggend, 'wat zit je hier toch in dat donkere krocht te vegeteren als een pissebed. Ben je bang dat je kanker aan je oogballen krijgt van de zon?' Haar paardestaart wipte.

'Ben je al klaar met je werk? Kunnen we je post meenemen?' vroeg Biba.

Lupo schraapte zijn keel. Hij was sprakeloos van liefde. Nee, hij was nog niet zo ver. Er zat namelijk een heel gecompliceerd geval bij, vandaag.

'Ergo, interessant,' zei Ebbe. Biba trapte naar haar. Ze vroeg: 'Waarom riep je ons dan?'

Ja, dat kon Lupo zo een-twee-drie niet zeggen.

'Ergo, niet op reageren,' zei Ebbe en dook onder de vensterbank.

'Ik word gek van d'r,' zei Biba stampvoetend.

'Wat krijg ik van je als ik mijn mond houd?' klonk het gesmoord van onderen. Lupo boog zich uit het raam. 'Zit je zomaar op de grond of heb je je bezeerd?' vroeg hij bezorgd.

'Ik aanbid de grond waarop jij loopt, oom Lupo,' zei Ebbe terwijl ze overeind krabbelde. Ze hief haar wang. 'Kus.'

Behoedzaam kuste Lupo haar. Hij hoopte dat Biba het niet erg vond. 'Oppassen hè?' riep hij hen hees na.

Klaplók, klaplók, kwam er uit het botenhuis. Het feest, dacht Lupo andermaal. Hij kon maar beter meteen gaan informeren of Wibbe klaar was. De meisjes hadden een paadje in het hoge gras getrapt. Hij volgde hun voetsporen een stukje, al voerden die hem de verkeerde kant op. Omzichtig plaatste hij zijn grote lompe voeten in hun spoor. Hij ademde diep in en uit. Hij probeerde aan niets te denken.

Hij zag zijn moeder pas toen hij haar stem hoorde. 'Lupo! Heb je weer last van je astma? Ik kan je hier helemaal horen snuiven.' Tot zijn schrik zat ze tegen het hek geleund en woei Evertje Polder koelte toe met een van haar sjaals. Hij versnelde zijn pas. 'Je bent toch niet uit geweest? Je bent helemaal bezweet! En Evertje Polder lijkt wel bezwijmd!' hijgde hij. Hij kon zijn hart voelen kloppen. Liefde, dacht hij, was een vreselijk ding.

Alsof ze zijn gedachten raadde zei Agrippina: 'Neem een voorbeeld aan mij, kind. Ik vrees niets. Ik hoop niets. Ik ben vrij.' Ze wapperde als een wilde met haar sjaal.

'Je lijkt Mata Hari wel,' zei Lupo. 'Zal ik Evertje Polder even naar binnen brengen? Jullie moeten jezelf ontzien met die warmte.'

'Van ons ben je heus nog niet af,' zei Agrippina monter. 'Kom, snuit je neus eens. Wij zitten hier heel comfortabel in de schaduw, dank je. Nietwaar, Evertje Polder?'

'Haar ogen staan raar,' zei Lupo. Hij bukte zich om Evertje Polder bemoedigend te bekloppen. Ze kreunde ervan.

'Springlevend,' verklaarde Agrippina. 'En dan ga ik nu een massa taarten bakken. Je weet maar nooit, als je een feestje geeft. De mensen kunnen wel van alle kanten toestromen.'

'Het is niet te hopen,' zei Lupo gealarmeerd. Hij had al genoeg te stellen met de situatie zoals die was. Er konden er onmogelijk nog meer bij om voor te zorgen en van te houden.

Klaplók, klaplók, deed het botenhuis. 'Wibbe,' zei hij.

'Dag kind,' zei Agrippina.

'Dag moeder.'

'Til je voeten op. Je sloft als een ouwe man.'

Dat was precies hoe Lupo zich voelde. Emanuel Wertheimer: Het leven is zelden waard wat het kost. Sloffend ging hij door het hoge gras. De deur van het botenhuis stond open. Het rook al van verre naar de rivier en naar rottend hout en schimmelig touw. Klaplók, deed Wibbe met zijn hamer op de wrakke roeiboot. Toen bukte hij zich om iets af te zagen. Fijnverstuivend hout vulde de atmosfeer. 'Nieuwe dollen!' riep hij naar Lupo. Het water droop van zijn gezicht en hij keek gelukkig.

Wibbe was altijd gelukkig als hij aan het werk was. Wat moest er van hem worden, vroeg Lupo zich soms benauwd af, als alle scheve deuren rechthingen, alle klemmende ramen weer open konden en alle kapotte dakgoten vervangen waren? Hij werd er 's nachts wel eens wakker van. Wibbe, dacht hij dan, o mijn god, Wibbe. Wibbe representeerde een onoplosbaar probleem: kon men het onnutte, het mislukte, beminnen? Lupo hoefde Marries ronde gelukshoofd maar te zien, of hij was overtuigd van die mogelijkheid. Maar de aanblik van Wibbe bracht twijfel. Waarschijnlijk, besloot Lupo zoals gebruikelijk, kwam dat doordat Wibbe een volwassen man was. Een reusachtige klont mensenvlees. Dat maakte het moeilijker. 'Heb je tijd gehad om het geweer te repareren?' vroeg hij.

'Ja,' zei Wibbe.

Lupo ging op het vermolmde bankje zitten. Dat moest gelukkig ook nog opgeknapt worden. Hij zei: 'Dankjewel.' Hij dacht: Ergo, Sterre kan haar cadeau krijgen.

———————

Vermoedelijk was dit het moment geweest waarop Max en Laurie in de problemen geraakt waren. Ze waren gestopt om te tanken.

'Krijgen we een ijsje?' had het ene kind gevraagd.

'Jullie krijgen niets, want we gaan straks picknicken,' had Laurie gezegd. Ze had gevlochten broodjes bij zich, die vond ze altijd zo feestelijk. En limonade voor de kinderen en ijskoude witte wijn voor Max en haar. Die zou inmiddels wel lauw zijn.

Max was teruggekomen met in iedere hand een ijsje.

'Dat mag niet van mama,' had het oudste jongetje gezegd.

Ze had gehoopt dat ze snel een grapje zou kunnen bedenken.

'Van mij mag het wel,' had Max gezegd, 'we zijn tenslotte met vakantie. Pak aan, daar koel je lekker van af. Hebben jullie het niet te warm?'

Ik stik, had ze gedacht. Zo voelde ze zich ook altijd als hij bij zijn thuiskomst alleen de hond aanhaalde. 'Goed het plastic eraf halen hoor, want als je dat opeet…'

'Dan kun je niet meer poepen,' had de jongste gezegd.

'Als je plastic vreet,' had Max gezegd terwijl hij het contact omdraaide, 'schijt je drollen in cellofaan. Kakkederriedrollen met een jasje aan. En dat rijmt wel, maar ze kunnen mooi je hol niet uit, die geplastificeerde drollen, dus alle stront gaat zich in je ophopen. Eerst nog alleen in je darmen en je buik, maar tenslotte spuit het uit je oren. En iedere keer als je je mond opendoet om iets te eten, spettert er schijt op je bordje.'

'O papa!' had het ene kind gegild. En het andere: 'Mama is ook een drol in cellofaan, als ze haar regenkapje opzet. Hè mam? Ja hè?'

'Ja,' had ze gezegd. Haar mooie linnen mantelpak was veel te warm. Waarom doe ik dit, had ze gedacht, waarom zit ik hier te smoren in die lappen? Ze had best geweten waarom ze dat deed.

'Zijn dat nou uiterwaarden?' had de oudste gevraagd.

'Ja.'

'Wat zijn uiterwaarden?'

'Nou, mama?' had Max honend terzijde kijkend gevraagd. En toen, alsof hij uit een encyclopedie voorlas: 'Uiterwaarden dienen ter vergroting van het doorstromingsprofiel in tijden van grote waterafvoer, zodat te hoge stroomsnelheden met sterke erosie vermeden worden.'

'Knap van pappie, hè?' had ze gezegd. Het had zo lief geklonken dat ze er bijna vrolijk van was geworden. Zou ze haar hand op zijn knie durven leggen? Ze had vreselijk graag haar hand op zijn knie willen leggen. Ze had vreselijk graag gewild dat hij zijn hand op haar knie legde. Wat ze ook wilde, was een blij gezicht in een passerende auto zijn. Daarom had ze gezegd: 'Zullen we hier van de grote weg afgaan om een picknickplaatsje te zoeken?' Samen leuke dingen doen. Als ze samen leuke dingen deden, zou alles weer goed komen: iemand met wie je leuke dingen deed, liet je toch niet in de steek?

In plaats van te antwoorden had Max de radio aangezet. Paul Simon met Fifty Ways to Leave Your Lover. 'Pas op Max,' had ze nog gezegd. 'Het is hier zo bochtig. Straks liggen we in het water.'

Tot de vele problemen van Max en Laurie behoorde, dat ze een verschillende perceptie van de werkelijkheid hadden. Zoiets kan enorme gevolgen hebben.

Toen hij bij het benzinestation ijsjes had gekocht, had Laurie meteen weer wat te zaniken gehad. 'Goed het papier eraf halen hoor, want daar zit plastic in. Als je dat opeet…'

'Dan kun je niet meer poepen,' had de jongste gezegd.

'Dan schijt je drollen in cellofaan. Kakkederriedrollen met een jasje aan,' had hij gezegd. Hij had verwacht dat Laurie iets tuttigs zou zeggen. Maar ze had alleen maar haar eeuwige martelaarszucht geslaakt. Ik heb je wel door, had hij gedacht: je denkt dat het je iets zal opleveren wanneer je de vloer met je laat aanvegen, je denkt dat ik het prettig vind om een verliezer om me heen te hebben.

'Hee mama,' had de oudste geroepen, 'jij bent ook een drol in cellofaan als je dat stomme regenkapje opzet.' Hij was bijna flauw gevallen van zijn eigen leukheid en had met beide handen op Max' rug geslagen.

'Kakelende keutel,' had hij gezegd, 'als jij zulk mooi haar als mama had, zou je het ook inpakken als het regende. Anders spoelden de gouden glimmertjes eruit.' Het had gewerkt. Hij kon voelen dat hij haar stemming van superieure zieligheid bedorven had. Nu zou ze niet meer durven klagen over het feit dat hij niets over haar mooie pak gezegd had.

'Zijn dat nou uiterwaarden?' had de oudste gevraagd.

'Wat zijn uiterwaarden, pap?' had de jongste gevraagd.

'Dat zijn weilanden die onder water mogen stromen als het peil van de rivier 's winters stijgt. Anders zouden de wallekanten steeds verder afbrokkelen,' had hij met enige moeite geformuleerd.

'Jullie vader is de knapste man van de wereld,' had Laurie gezegd.

Zou ze dan nooit begrijpen dat ze hem zelf tot snauwen dreef, dat ze het slechtste bij hem bovenhaalde, dat zij er verantwoordelijk voor was dat hij voortdurend uitgeput raakte van z'n eigen pesterijen? Als ze hem nu maar niet aanraakte, had hij gedacht. Ze raakte hem altijd aan als ze hem eerst woedend had zitten maken: ze manipuleerde hem de godgeslagen dag.

Hij had de radio aangezet en de snelweg verlaten. 'Laten we eerst maar even ergens die broodjes opeten,' had hij gezegd voordat ze daar weer over zou gaan zeuren en hij dat weer zou moeten honoreren.

Op de maat van Shirley Bassey's Run On And On And On was hij gaan sturen, links, rechts, links, zoevend was de auto rakelings langs de roodwitte waarschuwingsbalken op de kronkeldijk gedeind. 'De achtbaan!' had hij geroepen.

'Harder pap!' had de jongste geroepen.

'Harder, papa!' had de oudste geschreeuwd.

'Er is hier toch geen kip op de weg,' had hij tegen Laurie gezegd.

'Ik zeg toch niks?' had zij gezegd met die slepende stem vol ongenuanceerd geduld.

Nee, had hij gedacht, want waarschijnlijk hoop je op een ongeluk, zodat ik de rest van mijn leven in een rolstoel zit. Dan heb je me eindelijk waar je me hebben wilt. Als ik zelfs mijn eigen reet niet meer kan afvegen.

En toen hij haar hoorde gillen had hij nog gedacht: Typisch Laurie om er niet bij stil te staan dat we samen de boot ingaan.

―――――――――

Onkundig van het feit dat haar wens bezig was in vervulling te gaan, bakte Agrippina een taart. En nog een. En toen voor alle zekerheid nog een. Ze deed er appels, rozijnen en zonnebloempitten in en een snufje nagelkruid, verdrijfster van zwaarmoedigheid en schenkster van levenskracht. Het waren fantastische taarten.

Ze pasten precies onder en naast elkaar in haar grote, ouderwetse oven. 'Ik geef jullie drie kwartier,' zei Agrippina en stelde de kookwekker met zoveel vastberadenheid in, dat ze het knopje in haar hand hield. Evertje Polder zat in de schommelstoel te dommelen.

Agrippina klopte het meel van haar handen, hing haar schort aan het haakje en stapte naar buiten. Er was nog steeds geen wolk aan de knalblauwe hemel te ontdekken en de thermometer op de veranda wees achtentwintig graden in de schaduw.

Wibbe was zoals gebruikelijk in het botenhuis. 'Ben je fijn aan het knutselen?' vroeg ze alsof ze een klein kind toesprak in plaats van een volwassen man. Wibbe gaf haar altijd de neiging om zeer luid en duidelijk te praten. Jij fijn knutselen, jij?

Het kwam, dacht Agrippina kribbig, doordat hij altijd zweeg. Als men geen antwoord kreeg, ontstond licht de indruk dat men niet begrepen werd. Ook nu zei Wibbe niets, maar keek haar slechts met zijn lichte ogen aan. 'Ik heb weer wat stukgemaakt,' zei Agrippina, 'kijk, kapot, hier, het knopje.' Misschien moest ze het eens in doofstommentaal met hem proberen, met van die sierlijke gebaartjes. Taarten en oven, dat viel nog wel in signalen te vertalen, maar drie kwartier, hoe drukte men drie kwartier in gebaren uit?

'Klaar,' zei Wibbe en gaf haar de wekker terug.

Vreemd maar vlug, dacht Agrippina. Ze zei: 'Alleen weet ik nou niet meer hoe lang de taarten nog in de oven moeten.'

'Trek er zeven minuten van af,' zei Wibbe.

Vreemd maar verstandig, dacht Agrippina.

'Agrippina?'

Nee maar, dacht Agrippina, we zijn vandaag een echt kletskousje. Lupo zou vast willen dat ze dat aanmoedigde. Lupo zat altijd over Wibbe in. Lupo zat altijd over iedereen in.

'Ja Wibbe?'

'Je hebt twee verschillende kleuren sokken aan.'

'Vlegel,' zei Agrippina. Ze begaf zich met wapperende sjaals naar de deur. Pas buiten keek ze naar haar voeten. Haar linkersok was geel, wat van de rechter niet gezegd kon worden. Het effect was zo feestelijk, dat ze wenste dat ze het zelf bedacht had. Waarlijk wonderbaarlijk, dacht Agrippina tevreden terwijl ze de keuken weer betrad. Rijke taartgeuren kwamen haar tegemoet. Trek er twaalf minuten van af. Dat gaf haar ruimschoots voldoende tijd voor haar elixer. Ze was er hard aan toe, de hele ochtend al. Was ze er soms een tikkeltje immuun voor aan het worden? Ze nam beslist vaker een grotere dosis. Het moest 'm in de soort zitten. Wellicht zou de afwisseling die haar over een dag of vijf, zes wachtte, haar goed doen. Ondertussen was de bestaande voorraad gelukkig onuitputtelijk, dacht Agrippina en daalde in de kelder af.

Zonder het licht aan te doen vond ze haar weg tussen de bloembakken, verfblikken, teilen en emmers, die allemaal met kippegaas bedekt waren. Agrippina keek en keurde. In twee kolonies had er gezinsuitbreiding plaatsgevonden. Als haar verbruik niet zo groot was, zou er niet meer tegenop te voederen zijn. Haastig wierp ze wat graan in de bakken. Het schrille gepiep nam af. Het nerveuze getrippel bedaarde. Keurig rechtop zittend en hun eten met hun voorpootjes omknellend, keken de muizen op naar hun voedster. Hun snorren trilden, hun ogen blonken. Ze stonken. Maar Agrippina voelde zich niet in de stemming voor het weerzinwekkende karwei van het verschonen van de onderkomens.

Met zorg selecteerde ze vijf exemplaren. Het was een hele kunst om ze op hun optimale bruikbaarheid in te schatten. Agrippina was er buitengewoon handig in. De muisjes bij hun staart houdend sloot ze de kelderdeur en borg de sleutel weg.

Aan het rek boven het fornuis hing het vleesmes te glimmen. Op de broodplank lagen nog kruimels van het ontbijt. De muizepootjes maakten tappende geluidjes op het aanrecht. Het was belangrijk dat ze nog even flink rondliepen voordat ze hun bestemming bereikten.

'Ziezo,' sprak Agrippina, hen een voor een vaardig vlak achter de oortjes de kop afsnijdend. Ze handelde snel en zeker. Er ging geen druppel verloren. Het was in een oogwenk gebeurd.

Met onrustige ogen zat de rode kater in de vensterbank te wachten tot ze gereed zou zijn met de kadavers. 'Hier, dikke uitvreter,' zei ze. Ze nam een slokje water toe. Warmte doorstroomde haar. In het spiegeltje boven het aanrecht controleerde ze haar mondhoeken en haar tanden. 'Je bloedt. Heb je op je lip gebeten?' had Lupo een keer gevraagd.

De kookwekker rinkelde. Evertje Polder ontwaakte op slag. 'Ga me nou niet meteen voor de voeten lopen,' zei Agrippina. 'Laat me eens even bij de oven. Tjonge, die zien er prachtig uit. Afblijven.'

Hoe moeiteloos bukte en strekte ze zich nu, de zware taarten op de keukentafel zettend om ze te laten afkoelen. Hoe vol nieuwe energie zat ze meteen weer. Ze moest haar prachttaarten maar meteen van opmaak voorzien – Lupo zag graag dat ze zorg aan de dingen besteedde. Ze zou om te beginnen een smakelijke laag custard op het gebak kunnen aanbrengen.

'En daarna plakken we er sterren van zilverpapier op,' stelde ze Evertje Polder voor. Alleen moesten ze vanavond oppassen, daar niet op te bijten want dan zouden hen de vullingen uit de kiezen vallen. Al was dat natuurlijk lang niet het ergste dat kon gebeuren.

Laurie was het kleine meisje door de verwaarloosde tuin gevolgd zonder naar de protesten van haar jongetjes te luisteren.

Nu beklom het kind de achterveranda van het huis. Ze trok haar laarzen uit, ze trippelde op haar blote voeten over de houten vloer, ze gooide zich met haar volle gewicht tegen de gazen deur en ze riep om haar moeder.

'Ik ben je moe niet, kind,' riep Agrippina geërgerd. Ze knipte een ster uit aluminiumfolie en ze kon voelen dat de schaar bij iedere knip botter werd. Kwaad legde ze haar werk neer en opende de deur.

Pas toen Mar aan haar rokken hing, constateerde Agrippina dat ze niet alleen was. 'Mar, lastige aap! Wat heb je nou weer uitgevoerd? Heb jij die mensen zo nat gemaakt? Hou op met brullen. En u meneer, houdt u op met mijn salie te vertrappen. Salie, rozemarijn en citroenkruid, afgetrokken en een weekje in de zon gezet, voorkomen dat de haren grijs worden. Dat wisten de oude Romeinen al. En u kunt beter in de zon gaan zitten, voordat u kou vat.'

Toen drong het tot haar door, dat dit het gezelschap was waarnaar ze zo verlangd had. Wat vervelend nu dat haar gasten in zo'n staat van ontreddering verkeerden – ze moest maar afwachten of er ooit enige belangstelling voor haarzelf zou ontstaan. Ze bestudeerde de bedremmelde jongetjes een ogenblik. Mooi en gezond waren ze, al zaten ze slecht in het vlees.

'Wel,' zei Agrippina. 'Mijn naam is Agrippina.'

'We hebben een ongeluk gehad. Onze auto ligt in de rivier. Zou ik even gebruik mogen maken van uw telefoon?' zei Laurie ellendig. Ze keek huiverend om zich heen in de smerige keuken. Het rook er zeer eigenaardig. In de hoek krabde een oude hond zich raspend. 'Ga jij je benen eens strekken, Evertje Polder,' zei de vrouw die Agrippina heette terwijl ze het dier in haar nekvel pakte.

Hier sta ik, dacht Laurie, in de keuken van een griezelig oud mens in een roze meisjesjurk met kantjes. Ze leunde tegen het aanrecht en barstte in tranen uit.

'Kind toch,' zei Agrippina en hield op met aan de bewegingloze Evertje Polder te sjorren, 'een ongeluk, dat is me ook een schrik. Je zult wel doodmoe zijn van alle emoties.'

Laurie bemerkte inderdaad hoe slap haar benen waren. Ze wilde gaan zitten en nooit meer opstaan. 'Ja,' hikte ze. 'En ik sta ook altijd overal alleen voor,' riep ze toen.

'Je bent hard aan een kopje kamillethee toe,' zei de oude dame sussend en zette meteen een ketel water op.

'Ik doe altijd zo mijn best om het goed te doen in zijn ogen,' snotterde Laurie. Ze kon niet meer ophouden. 'Hij vindt me waardeloos en dom en lelijk en hij maakt me zo zenuwachtig met zijn eeuwige kritiek. Nooit is het goed.'

'Nounounou,' leefde Agrippina mee.

'Maar als er zoiets gebeurt, moet ik het wel alleen opknappen,' huilde Laurie voort. 'Hij vindt me nog te stom om de kinderen op te voeden, maar ik moet wel slim genoeg zijn om het hoofd koel te houden als hij ons allemaal in het ongeluk stort.' Haar koele hoofd begon tamelijk hard over te koken, merkte ze. Max hing als een zak aardappelen in de deuropening. Laurie dacht: Ik gooi hem een van die idiote taarten in zijn gezicht als hij nog een keer kwaakt.

'Hij zal niet veel gemerkt hebben van je flinkheid,' zei Agrippina. 'Als je het mij vraagt heeft hij een shock, die man van jou.'

'O, heeft hij een shock?' riep Laurie. 'Zodat ik het hem niet eens kwalijk kan nemen, allemaal? Ik moet het zeker weer begrijpen.'

Zuchtend schonk Agrippina de thee in. Ze zei: 'Hij moet gewoon even warm ingepakt worden en een paar uurtjes tot rust komen. Dan is hij weer de oude en zal hij je bewonderen om je, hoe noemde je dat, om je koelbloedigheid. Hier, drink nu maar eerst een kopje thee, dan bedaar je zelf ook een beetje.'

Bleek nam Laurie het kopje aan. Ze kon zich niet heugen dat iemand iets voor haar had ingeschonken.

'Heet opdrinken,' zei Agrippina. 'En nou jullie, kereltjes. Trek maar eens gauw die natte spullen uit, dan gaan we die lekker in de zon opdrogen. Hebben jullie onze schommel gezien? En weten jullie dat we hier een echte boot hebben?'

'Een boot?' zei de jongste. Hij had helemaal ronde ogen gekregen van de vreemdheid van de gebeurtenissen. Inschikkelijk liet hij zich uit z'n natte bloes pellen.

'Een roeiboot. Je kunt ermee naar het kikkereiland varen.'

'Het kikkereiland?' zei de oudste. Hij maakte de veters van zijn soppende gympen los.

'Een heel eiland vol kikkers. 's Nachts kunnen we ze horen kwaken. Misschien zit er wel een betoverde prinses bij. Het is zeer de moeite waard om er een te vangen en te kussen.'

'Volgens mij was het een betoverde prins,' zei de oudste. Hij was net z'n vader.

Agrippina giechelde. 'Dan moet ik toch maar eens een kansje wagen. Ik ga even zwembroeken voor jullie halen, dan kunnen jullie er op uit.'

'Wat een leuke mevrouw, hè mam?' zei de jongste.

Laurie slurpte van haar hete thee. Ze voelde zich zo veilig alsof ze in een warm, roodpluchen doosje was opgeborgen. Wat een verstandige oude dame met haar kruidenthee en haar shock. Max zou onder haar goede zorgen in een wip opknappen. En zij, zij bleef gewoon de rest van de dag in de krakende schommelstoel zitten wiegen.

'Kijk,' zei Agrippina, 'ik heb een heel assortiment. Mar d'r broeken zijn jullie waarschijnlijk te klein. Kom eens hier. Deze zijn van de meisjes. Wenst meneertje een rode of een gespikkelde?'

'Ik ga niet in een meidenbroek rondlopen,' zei de oudste.

'Nee, dat zou ik ook liever niet doen,' zei Agrippina. 'Maar je moet het zo bekijken: jij hoeft 'm maar een uurtje aan en ik moet er mijn hele leven een dragen. O kijk, daar hebben we Lupo. Die kan jullie mooi naar het botenhuis brengen.'

Laurie keek op. Ze ging staan en fatsoeneerde haar vochtige pak. Ze vond het een geruststellende gedachte dat er een man bij dit huishouden hoorde. Hij zag er aardig uit en was vast niet veel ouder dan zijzelf, ondanks zijn al bijna kale hoofd. Ze glimlachte en stak haar hand uit. Hij keek er verschrikt naar. Hij keek naar Max. Hij keek naar de jongetjes. Hij keek naar Agrippina. Hij zei: 'O moeder.'

'Dit is mijn zoon,' stelde Agrippina voor. 'Gaan jullie je maar in de gang verkleden, jongens. Lupo, deze lieve mensen hebben zo'n akelig ongeluk gehad. Ze zijn van de dijk geraakt en ze hebben onze hulp nodig.'

Laurie zag een aantal onbegrijpelijke uitdrukkingen over zijn gezicht glijden, voordat hij zich eindelijk tot haar wendde.

'We zullen u zo gauw mogelijk weg zien te helpen. Hebt u veel schade aan uw auto?'

'Hè Lupo,' zei Agrippina knorrig, 'hoe kan zij dat nu weten? En bovendien moet haar man eerst maar eens een paar uur naar bed.'

'Een paar uur?' riep Lupo uit. 'Maar moet u dan niet verder? Wordt u niet ergens verwacht?'

Onzeker zei Laurie: 'We zijn op vakantie. We hebben geen haast. Uw moeder was zo vriendelijk om... en de auto doet het vast niet meer... misschien kan ik maar het beste even een garage bellen.'

'We hebben geen telefoon,' zei Lupo.

'Hier schat, een lekker kopje thee,' zei Agrippina. Ze had hem wel een kopje duivelsknol willen serveren: altijd bedierf hij haar pleziertjes. Ze ging maar eens kijken of de jongetjes al klaar waren. Wat waren ze mooi roze in hun felgekleurde tanga-slips. Opgewonden stormden ze langs haar heen de keuken in.

'Kijk mam,' schreeuwde de jongste en draaide met zijn magere billen, 'nou heb ik net zo'n zwembroek aan als jij.'

'Stomme broeken,' zei de oudste.

'Dag meneer,' souffleerde Laurie. Dag nare rotmeneer. Hij had zich met een klap achter de keukentafel neergelaten en zat z'n bril op te poetsen. Zelf stond ze nog steeds. Kon ze nu zomaar weer gaan zitten of zou die man soms verwachten dat ze direct de deur uit marcheerde? Haar oudste zei: 'We mochten toch gaan roeien?' Agrippina draaide een van haar sjaals tot een sliertje. Ze keek er adembenemend neutraal bij.

Lupo wreef zijn voorhoofd. Hij zuchtte. Zwaar kwam hij overeind. De tegenzin lag duimendik op zijn gezicht. 'Dan zal ik jullie maar naar het botenhuis brengen,' zei hij. 'En dan vraag ik meteen aan Wibbe of hij tijd heeft om naar de auto te kijken.'

'Wibbe,' zei Agrippina zonder Laurie aan te kijken, 'lijkt misschien een beetje vreemd.'

'Maar hij is heel handig,' zei Lupo snel.

'Hij heeft verstand van auto's,' gaf Agrippina toe.

'Hij is alleen wat mensenschuw,' zei Lupo.

'Wat vreemd,' zei Agrippina.

'Wat langzaam, moeder.'

'Ook dat. Maar hij doet geen vlieg kwaad.'

'O nee. U hoeft niet van hem te schrikken.'

'Wibbe heeft nog nooit iemand wat gedaan.'

'En hij is echt ontzettend handig.'

'Alleen een beetje vreemd.'

'Ja. Nou ja. We houden toch van hem,' zei Lupo. Hij plaatste zijn opgepoetste bril zorgvuldig op zijn neus. Hij keek Laurie voor het eerst recht aan. Zijn blik werd vriendelijker. 'Ik blijf wel in de buurt,' zei hij.

Laurie ging op haar andere been staan. 'Dankuwel,' zei ze, want ook zonder dat ze er iets van begreep, werd het haar duidelijk dat haar plotseling iets groots en kostbaars geviel: andermans zorg.

'Zo bengels,' zei Agrippina, de kinderen voor zich uitduwend, 'en terwijl jullie fijn spelen, gaan wij voor papa zorgen. Er is niets om je benauwd over te maken.'

———————————

De boot gleed door de duistere tunnel van het botenhuis. Toen werd het echt. Onder de blauwe hemel dreef hij langs de wiegende oevers. 'Ik was de boots en jij de stuur,' beval de oudste en probeerde zich enige macht over de roeispanen te verwerven. De sloot die naar de rivier voerde was te ondiep en te smal om naar behoren beroeid te worden. Het vergde een hoop gewrik en geplons om in open water te geraken. Ze werden er vervelend en sikkeneurig van.

'Die meid voert ook geen donder uit om te helpen.'

'Stomme griet.'

Netjes met haar armen over elkaar zat Marrie op een van de bankjes.

Ze was zomaar plompverloren aan boord geklauterd op het moment dat Lupo de boot wilde losmaken. Hij had hen zomaar plompverloren gezegd, haar mee te nemen. Het was onvergeeflijk.

'Die boom, die boom! Zet je af tegen die boom, dan kunnen we de bocht om.'

'Man, je moet niet zo spatten.'

'Lekker,' zei Mar vredig.

De oudste sloeg met zijn riem op het water. Fonkelend spetterde het op. 'Lek-ker! Lek-ker!' scandeerde hij pesterig.

'Jaja,' zei Mar, goedgemutst haar gezicht droogwrijvend.

'Wat een stom rund,' zei de jongste. Hij kon het niet laten om een tweede plens water over haar uit te storten. Toen moest de oudste weer. En toen de jongste nog eens. Het duurde een hele tijd voordat ze er genoeg van kregen en toen stond er een behoorlijke laag water in de boot.

'We maken water, stuur,' zei de oudste met mannelijke stem. 'Vooruit matroos, hozen.' Hij trok Mar met een ruk aan haar been van het bankje.

'Ze heeft geen onderbroek aan,' constateerde nu ook de jongste. Mar volgde zijn blik. Hulpvaardig sjorde ze haar natte jurk omhoog. 'Ja?' zei ze.

De jongetjes vielen stil. 'Later krijgen ze er haar op. Vies hè?' griezelde de oudste tenslotte.

'Gore viespeuk,' verklaarde de jongste.

'Die debiel loopt zomaar in d'r blote kont!'

'Omdat ze anders d'r broek volpoept!'

'Wat een smerige stinkerd, hè?'

'Ze moet eens goed op d'r blote lazer hebben, die smeerkees.'

'Zullen we haar martelen?' stelde de oudste voor. Hij voelde zich werkelijk enorm machtig. Reusachtig, gewoon. Zijn hoofd klopte ervan. Of misschien kwam dat door de zon die maar bulkte, en het water dat maar blonk, het was om kleurenblind van te worden. Zelfs het in de boot gespatte water was lauw en laf. 'Hozen, gek.' Lieflijk dreef het bootje voort met de mooie jongetjes en het zomermeisje in haar ouderwetse schort.

'Land in zicht. Zou dat het kikkereiland zijn?'

'Kijk uit dat we niet vastlopen. Daar kunnen we aanleggen.'

De oever was modderig, maar Mar wipte zonder aarzelen aan land en prakte met haar blote voeten door de klei. Sop, sop. Sop, sop.

'Laat d'r niet ontsnappen!'

'Trek de boot dan aan land!'

'Wat doet ze nou, joh?'

'Ze gaat gewoon voor onze neus zitten poepen!'

Mar hurkte in de bagger en begon vlug en vaardig oliebollen te bakken. Er zaten krenten en rozijnen in en een enkele spartelende tor. Wel een hele bus poedersuiker klopte ze er overheen; het stoof zo dat ze ervan moest niezen. 'Heer-lijk,' zei ze.

De jongens hielden op met aan de boot te rukken. 'Heerlijk? Vreet dan op!' zei de oudste. Debiel liet hij z'n hoofd voorover zwabberen en z'n tong langs z'n kin dweilen: 'Toe maar Mar, heer-lijk.'

De jongste zag het broedend aan. Hij durfde de boot niet los te laten. Hij moest steeds denken aan zijn nieuwe mes in zijn verre broekzak. 'Vreet op,' zei zijn broer.

Mar keek hem aan, haar brilletje bespat met rivierwater. Onverschillig bracht ze haar moddervingers naar haar mond en likte ze af.

'Eet op, zeg ik je,' zei de oudste met harde stem.

'Getverdemme,' zei de jongste.

Even deed Mar iets dat op schokschouderen leek, terwijl ze haar haren uit haar gezicht schudde. Toen nam ze een schep modder en begon die bedaard op te eten. Er liep een straaltje vuil langs haar kin. Haar ronde wangen bolden.

'Slikken!' schreeuwde de oudste woest. Hij kreeg een onbedaarlijke lust om Mar te slaan en te schoppen tot het water uit haar buik zou spatten.

'Die doet ook alles wat je zegt,' constateerde de jongste ontnuchterend. 'Zo is er geen kunst aan.'

'Er is niks aan met die achterlijke idioot,' gaf de oudste toe.

Hij kalmeerde. Mar grijnsde naar hem. 'Gezellig hè?' zei ze. Kwiek kwam ze overeind. Pikzwart kleefde de zoom van haar groezelige schort tegen haar spillebenen. Ze begon te springen, splet, splet, splet. Ze klapte in haar handen, klets, klets, klets. Hoger en hoger sprong ze, harder en harder klapte ze, ze draaide om haar as, ze loeide er een wonderbaarlijk mooi lied bij en ze kreeg er de prachtigste sterren van voor haar ogen.

'O geluk, geluk, geluk!' zong Mar, haar kiezen klepperend als castagnetten, iedere keer als ze neerkwam. Vrienden maken doe je tenslotte niet iedere dag.

———————

Aan de verre overkant van het water bevonden zich Ebbe en Biba, voor wie Sterres feest nog steeds de belangrijkste gebeurtenis van de dag was. 'Hebben we nou nog niet genoeg?' zei Ebbe en schopte tegen de mand vol moerasspiraea, wilgeroos en kattenstaart. Ze werd altijd humeurig als ze iets moest doen, Ebbe. Liever zwierf ze hele dagen doelloos door de graslanden bij de rivier of zat ze dromerig urenlang steentjes in het water te gooien. Biba, altijd vol praktische plannen en projecten, werd soms stapelgek van haar. 'We moeten nog veel meer plukken,' zei ze ongeduldig.

'Je doet het verkeerd,' deelde Ebbe mee. Ze ging op de grond liggen en sloot haar ogen. Ze mompelde: 'Je neemt te veel van dat sprieterige spul. Er moet een beetje volume bij.'

'Doe het dan zelf!' riep Biba.

Ebbe opende één oog. 'Ik kijk wel uit. Ik ben het meesterbrein en jij de domme kracht. Doe nou maar wat ik zeg.' Ze draaide zich op haar buik en dacht: we zijn allebei maar halve mensen. Ze werd er helemaal vrolijk van – ze zouden elkaar dus altijd nodig hebben. Ze rolde op haar ene zij, ze rolde op haar andere. Biba trok aan haar been. 'Jij mag de blauwe emaille fles hebben als je meehelpt.'

Ebbe schopte, haar lange stelten maaiden door de lucht, haar sandalen vlogen uit. 'Au,' zei Biba die er een op haar kop kreeg. Ze greep een voet en sloeg meedogenloos aan het kietelen. Ebbe gaf geen kik. Ze kronkelde tot ze paars zag. Het zweet liep in straaltjes van haar gezicht. De keuze tussen schreeuwen en het besterven was een eenvoudige. Het was alsof er duizend reusachtige spinnen door haar zool in haar voet kropen, ze voelde ze in haar knieholtes schieten, in haar liezen, en vandaar omhoog in haar ruggegraat. Het was erger dan de Terugkeer van de Vampiers.

Biba hijgde. Ze had het tweede been in haar macht gekregen. Met een ruk trok ze het wringende lijf van haar zuster tegen haar heup en begon haar in de zij te poken. Alle kleuren van de regenboog kreeg Ebbe. Haar tanden klapperden. Vreselijke krampen deden haar tenen uiteen staan. Het moment moest nabij zijn. In de verte klonk de droge roep van de kwartelkoning. Celdelingen vonden plaats, nagels groeiden, haren vielen uit en eindelijk balkte Ebbe met schrille stem: 'Hou op!' Zelfs haar lippen zagen blauw.

'Slappeling,' zei Biba meteen, 'zo kom je niet van me af. Ik heb nog een hele behandeling voor je in gedachten.' Razendsnel liet ze zich op haar zuster vallen en greep haar in haar oksels. Ebbes hoofd werd vloeibaar en onder Biba's opdringende hitte begon haar lichaam eveneens te smelten. Ook Biba zou spoedig in losse stukken uiteen vallen, haar voorhoofd en haar wangen dropen al in haar hals en haar handen glibberden weg. 'Nu je oren nog,' ademde ze. Ze schoof haar kloppende vormeloosheid over de plas die eens Ebbe was en haar met armen en benen omknellend, blies ze scherp in haar oor.

Heet suizelde haar adem langs de kronkelingen in Ebbes oorschelp haar hersens binnen. Geamplificeerde zevenklappers weerklonken onder haar schedel. 'Genade!' loeide ze.

'Nu,' zei Biba op haar gemak, 'de andere kant nog even.'

'Nee, genade, genade,' brulde Ebbe. Ze wrikte met haar onderlijf.

'Als je stil ligt, is het zo voorbij,' zei Biba honingzoet en greep haar in haar lendenen. 'Kom maar, m'n liefje, dan help ik je uit je lijden.' Ze wachtte tot Ebbe uitgesidderd was en blies haar toen in haar linkeroor. Het reutelde een beetje. 'Sorry,' zei Biba, 'dat was niet zo'n beste.' Ze zoog haar longen vol tot ze bijna klapten en ledigde ze krachtig in Ebbes hoofd.

De walm sloeg van hen af. Ze deden er een hele tijd over om weer op adem te komen. De kwartelkoning riep nog steeds. De gronderige stank van de rivier werd waarneembaar.

'Biba? Jezus, Biba! Ik heb in m'n broek gepist.'

'Als je denkt dat ik die pislappen van je was, vergis je je.'

'Nou,' zei Ebbe, omhoog verend alsof ze zojuist ontwaakte uit een verkwikkend dutje, 'dan ga ik mezelf wel schoonzwemmen.' En op hetzelfde moment was ze 'm al gesmeerd, zigzag tussen de houtwallen door, dwars over de ruigte, naar de rivier.

Meteen ervoer Biba de bekende sensatie dat ze niet meer wist wat ze met zichzelf moest aanvangen. Ze plukte nog wat klaver en een arm vol spiraea, nam de mand op en sjokte door Ebbes woeste spoor naar de rivier. Haar zuster lag lui op haar rug in het water, haar armen en benen gespreid. Haar kleren bolden op. Zonder op te kijken riep ze: 'Het is heerlijk! Kom er ook in.'

'Ik wil naar huis!'

'Maar ik wil zwemmen!'

'Dan zwem je maar.'

Het golfde en het spatte, even ging Ebbe kopje onder en toen verrees ze woedend uit de baren. Het water reikte maar tot haar middel. Ze zette haar armen in haar zij. 'Hoe kan ik nou zwemmen als jij naar huis gaat?'

Dat was Biba ook een raadsel. 'Hoe kan ik nou naar huis gaan als jij zwemt?' schreeuwde ze terug.

Ook daar zat veel waars in, moest Ebbe toegeven. Ze hield haar hoofd al schuin ten teken dat ze spoedig door de knieën zou gaan.

'We moeten alles nog in orde maken voor Sterre!' riep Biba, die al beroerd werd bij de gedachte dat ze Ebbe aan het werk moest zien te krijgen en te houden. 'Die bloemen verdorren waar je bij staat.'

Ebbe waadde naar de kant. Het water drupte uit haar paardestaart.

'Heb je eindelijk iets behoorlijks geplukt? Iets met een beetje massa? Zal ik wat dotters pakken?'

Uiteindelijk lukte het hen, op weg naar huis te raken. Biba droeg de bulkende mand en werd omstuwd door bloesemgeuren. Ebbe ging met zware stap naast haar voort en stonk. 'Het schrijnt in mijn maagdelijk kruis,' zei ze, 'al is het er wel lekker fris.'

'Je bent stinkend smerig,' zei Biba. Ze fronste haar wenkbrauwen.

'De vreselijke moddervrouw,' zei Ebbe verheugd. 'Agrippina zakt in elkaar als ze me zo ziet.' Ter voorkoming daarvan konden ze maar beter via de brandtrap door hun slaapkamerraam naar binnen sluipen. 'Weg ermee,' riep Ebbe, gelijktijdig de gordijnen openschuivend en zich de natte kleren van het lijf rukkend. Biba stapte over de vensterbank de lichte kamer in. 'Verrek,' zei ze, 'wat ligt daar nou in je bed?'

Nakend draaide Ebbe zich om. Ze was zo bruin als een jonge boom, met hier en daar een veeg modder bij wijze van knoest. Ze staarde.

''t Is een vreemdeling zeker, die verdwaald is zeker,' sprak ze. Onvervaard stapte ze op het bed af.

'Wibbe,' raadde Biba van verre.

'Niks daarvan,' zei Ebbe, onder het dek glurend. 'Het is een vreemde vent en hij ligt te zweten als een otter. Wat leuk.'

Zo was er altijd iets dat haar van haar plichten en werkjes afhield. 'Sterre,' begon Biba gevaarlijk.

'Stil!' riep Ebbe, rond het bed dansend, 'hij doet zijn ogen open!'

———————

Lupo vond de aanblik van de half in het water gekantelde auto van een grote treurigheid. Wibbe daarentegen was gelukkig. Nu kwam, zei hij tevreden, die ouwe tractor mooi van pas die hij onlangs bijna voor niets had kunnen kopen. Lupo was tegen de aanschaf geweest, voornamelijk omdat die ellenlange onderhandelingen met de vorige eigenaar met zich meegebracht had. Lupo hield niet van vreemden op het erf. 'U ziet toch zelf ook wel dat die jongen geen partij voor u is,' had hij ten slotte gezegd, 'zo iemand kan men toch geen poot uitdraaien?'

Wibbe was hem niet dankbaar geweest voor zijn bemoeienis en had zich dagenlang in het botenhuis opgesloten terwijl Agrippina, jaloers vanwege de uitgave, hem door het keukenraam bespioneerde en zes maal per dag uitriep: 'Nou! Waarom doet ie niets met z'n nieuwe speeltje?'

Misschien laten we hem te veel merken dat we hem niet voor vol aanzien, dacht Lupo, hurkend bij de verongelukte auto. Als hij niet oppaste, kreeg hij vandaag een zware hoofdpijn.

'Hij loopt als een naaimachine!' riep Wibbe trots, hoog op zijn tractor. Het was een spectaculair moment toen de auto loskwam uit de klei. Hij kreunde en veerde en kraakte en schoot met opwerping van de halve oever los. Lupo raakte geheel met modder bedekt. Wibbe juichte en rukte de versnellingsbak zowat uit z'n voegen. Hijgend alsof hij het karwei met de blote hand geklaard had, steeg hij uit het zadel. 'Wat een show hè?'

'Ja,' zei Lupo tandenknarsend. 'Zou hij nog rijden?'

Met de motor achterin, meende Wibbe, kon er nauwelijks iets fataals aan de hand zijn. Dat linkerspatbord kon makkelijk rechtgebogen worden en voor alle zekerheid zou hij het wiel even verwisselen. Dat hij het wel zou redden, verklaarde hij. Lupo zou het pas geloven als hij het zag, als hij de auto met alle passagiers erin, weer veilig zag wegrijden. Hij ging in het gras zitten en haalde zijn opschrijfboekje uit zijn zak.

'Schrijf je in je dagboek?' vroeg Wibbe en staakte zijn helse gebonk op het spatbord even. Als balsem daalde de stilte neer. Toen gaf hij weer een hengst op het blik.

'Ik werk,' zei Lupo gefolterd. 'Ik had vanochtend zo'n eigenaardige opdracht bij de post zitten. Een liefdesbrief die iemand in een lift aan een onbekende wil overhandigen. Ik heb de eerste zin al: Het lot schenkt zich aan wie het accepteert. Stephan Zweig.'

'Dat is toch geen werk,' riep Wibbe, zich zwetend uitlevend op de bumper.

'Ook niet-lichamelijke arbeid is arbeid,' zei Lupo zachtzinnig. Hij vond dat hij het mooiste beroep van de wereld had: anderen gelukkig maken. Om de inspiratie op te wekken ging hij een tijdje vijfpuntige sterren zitten tekenen, wat hij in één vloeiende lijn kon, zonder zijn potlood van het papier te lichten.

Moeiteloos zette Wibbe de auto op de krik. Dat ging vrijwel geruisloos. Spraakzaam zei hij: 'Je zou best wat anders kunnen doen.'

'Maar ik hou van mijn werk,' legde Lupo geduldig uit. 'Bijna iedereen heeft behoefte aan poëzie in het bestaan, Wibbe. Romantiek! Verzengende liefdesbrieven! Maar de meeste mensen zijn zelf geen dichters. Je moet het zien als een vorm van dienstverlening. Er is verschrikkelijk veel behoefte aan. Iedere keer als ik geadverteerd heb, word ik bedolven onder de opdrachten.'

'Volgens mij is het de helft van de tijd nep.'

Hierop ging Lupo gekwetst zitten zwijgen.

'Je zou best een échte baan kunnen zoeken,' hield Wibbe vol.

Hij moest een zonnesteek opgelopen hebben. Lupo voelde zich daar zelf ook niet ver meer van verwijderd. 'Zoals jij zeker,' ontviel hem.

'Ik doe reparatie en onderhoud!' zei Wibbe heftig. Zijn haar piekte woest alle kanten op. Lupo vond juist op tijd zijn zelfbeheersing terug. Begrijpen is vergeven. 'Ik zou niet weten wat we zonder jou moesten beginnen,' zei hij.

Wibbe was evenwel geen normaal mens: hij kon geen vredespijp herkennen, al ontplofte die onder z'n neus. Hij greep in z'n haar, rolde met z'n ogen en riep: 'Wat ben je toch een ei, Lupo!'

'Jaja,' zei Lupo, 'gelukkig dat jij wijzer bent, nietwaar. Maak je nou maar niet druk, ouwe jongen. Kalm aan maar. Het komt door Sterres feest dat we allemaal een beetje prikkelbaar zijn. En dan uitgerekend vandaag die wildvreemde mensen over de vloer.'

Een massa uitdrukkingen gleed over Wibbes gezicht.

'We kunnen geen pottenkijkers gebruiken he?' zei hij.

Er konden allerlei ongelukken gebeuren, dacht Lupo. Had hij er wel aan gedacht om de kinderen een blik mee te geven om te hozen? Huiveringwekkende visioenen trokken aan hem voorbij. De jongetjes langzaam wegzinkend in de zuigende drassigheid van het riet. De jongetjes blauw en bleek voorover in het zwarte water. De jongetjes vermalen tussen de kolossale kaken van een reuzenkikker. Er kon werkelijk van alles gebeuren, als je er even bij stilstond.

Nu verscheen plotseling Laurie op de dijk. Ze droeg Agrippina's parasol en aan haar hielen kleefde Evertje Polder, zichtbaar een flauwte nabij.

'Evertje Polder!' riep Lupo uit, haar van haar oude poten tillend en tegen zijn borst drukkend. Wibbe stapte schichtig opzij en ging aan de buitenspiegel van de auto frunniken. Laurie liet de parasol zakken. Ze had gedacht dat hij haar leuk zou staan. 'Het spijt me,' stamelde ze. 'Ze volgde me vanzelf.' Ze was blij dat Max haar niet kon zien blunderen. Aan de andere kant: wat had ze nu precies verkeerd gedaan?

'Dit is Wibbe,' zei Lupo. 'Hij is onze klusjesman. Wat zeg je, Wibbe?'

'Dompelen,' mompelde Wibbe. 'Je moet d'r even in het water houden, dan trekt ze wel weer bij.' Hij bloosde en zweette.

'Dag meneer,' zei Laurie onhandig. Wat een baardgroei, dacht ze. Daarmee joeg hij natuurlijk iedereen de stuipen op het lijf. Er was vast niets anders met hem aan de hand dan wat er mis was met de reus uit het sprookje die geen vriendjes had omdat iedereen zich een hoedje schrok van zijn verschijning.

Evertje Polder slaakte hartbrekende zuchten toen Lupo haar poten in het koele water hing. Toen brokkelde de oever onder zijn ene voet af en zakte hij tot aan zijn dijen het water in met zijn armen vol hond.

'Oh!' gilde Laurie.

'Oempf!' deed Evertje Polder. Lupo zette haar op het droge alsof ze van kristal was. 'Uw auto is klaar. U kunt meteen vertrekken,' zei hij vanuit het water.

'Dankuwel,' zei Laurie. Weifele gedachten bevingen haar. Het was eigenlijk heel prettig zo, met Max onder zeil. Dit was nu eens een situatie die helemaal van haarzelf was. Ze wou hem verlengen.

Ze zei: 'Dat water ziet er heerlijk uit. Ik zou best zin hebben om een uurtje te zwemmen. Zwem jij, Wibbe?'

Ze zag nu toch dat hij vrij waanzinnig uit z'n ogen keek.

Lupo begon zich moeizaam uit het nat te verheffen. 'Blubber, viezigheid en ziektekiemen. Dit is een van de smerigste rivieren van het land. Wist u dat niet? Zelf zwemmen we er nooit in. Nietwaar, Wibbe?'

'Mij niet gezien,' zei Wibbe.

'We gaan naar huis, Evertje Polder,' zei Lupo.

'Mijn bagage is natuurlijk doorweekt,' zei Laurie treurig. Ze raakte de auto aan. 'Eigenlijk zou alles eerst gedroogd moeten worden, anders gaan de spullen misschien rotten.'

Met geraas smeet Wibbe zijn gereedschap bij elkaar. Waarschijnlijk was hij helemaal niet zielig, alleen maar onaardig. Of jaloers. Omdat haar aanwezigheid ieders zorgzame aandacht van hem afleidde. Daarom misgunde hij haar een prettige dag aan de oever van de rivier. Maar hij zou zich moeten neerleggen bij de situatie, dacht Laurie koppig. Ze zei: 'Ik denk niet dat mijn man al voldoende hersteld is om te reizen.'

Max opende zijn ogen. Hij sloot ze weer. Hij dacht: ik hallucineer. 'Volgens mij is hij wakker,' zei iemand. Er klonk geritsel: men nam plaats op de rand van het bed. 'Laurie?' vroeg Max. Hij werd ineens een vreemde, gronderige lucht gewaar. In ziekenhuizen rook het anders. Bovendien waren verpleegsters gekleed.

Hij opende zijn ogen opnieuw. Zijn luchtspiegeling keek hem ernstig aan. 'Ben je soms een kennis van Sterre?' vroeg ze.

'Ik ken geen Sterre,' zei Max zwak. 'En ik geen Laurie,' zei het meisje. Ze trok haar been op en begon haar kuit te krabben. 'Ik denk dat je hier verkeerd bent.'

'Wat is er gebeurd? Waar ben ik in vredesnaam?' zei Max tot zichzelf komend.

'Liggen blijven. Je bent kennelijk ziek, anders lag je niet in bed.

We zullen je moeten verplegen.' Ze duwde hem terug in het kussen en trok het dek tot aan zijn kin omhoog.

'Hoe ben ik hier terechtgekomen?' riep Max. Gelukkig wist hij nog hoe hij heette. Koortsachtig dacht hij aan zijn postcode, zijn gironummer, zijn bloedgroep. Hij wist alles nog.

'Ontspan!' zei het meisje en nam zonder omhaal met haar gebruinde billen plaats op zijn borst. 'Als je niet heel stil ligt, word je nooit beter. Je moet het uitzweten.' En toen werd ze aan haar arm door haar evenbeeld van het bed gesleurd. Naar adem snakkend kwam Max overeind. Zijn ogen puilden uit. Er was sprake van twee engelachtige wezens die elkaar onlieflijk toeschreeuwden. 'Een tweeling,' zei hij verbijsterd.

'We zijn een drieling,' riep de blote, zich uit de greep van de andere wringend. 'Sterre is de middelste. Sodemieter op, Biba.' Ze stond hijgend midden in de kamer.

'Hemelse goedheid,' zei Max geïmponeerd.

Nu wendde Biba zich tot hem. 'Ik heb genoeg van die fratsen van Ebbe. Ze verzint telkens iets nieuws om onder haar werk uit te komen. Haal je maar niet in je hoofd dat ik toesta dat ze door haar verzinsels weer overal onderuit komt.'

'Verzinsels?' riep Ebbe. 'Hij is écht, mens! Voel maar.'

Max zelf voelde een zekere opwinding. Die borsten waren eveneens echt en ze waren prachtig. Hij ging verzitten, drapeerde het laken rond zijn heupen en kuchte.

'Het is helemaal niet best met hem,' zei Ebbe zorgzaam.

'Nee, dat geloof ik ook niet,' zei Max. Maar zijn geheugen ging met sprongen vooruit. Hij zag zichzelf achter het stuur. Hij dacht aan vrouw en kinderen. Hij kreunde. Hij ontving onmiddellijk een koele hand op zijn voorhoofd. Dat kleintje was zo kwaad nog niet. Jammer dat die zuster zo'n deugdzame trut was. Hoe zou de derde zijn?

'Hij kijkt vreemd,' zei Biba afgemeten.

'Misschien is hij zijn geheugen wel kwijt,' bedacht Ebbe. Ze ging weer op de rand van het bed zitten en keek Max zo diep in z'n ogen dat het hem duizelde. 'Wat herinner je je nog?'

Niets dat ik niet liever even zou vergeten, dacht Max. Laurie en zijn zoons konden tenslotte wel tegen een stootje. Er was geen enkele reden om zichzelf te kwellen met zorg. Hij diende zich thans op zijn eigen situatie te concentreren en vooral op het ontbrekende stuk tussen toen en nu.

'Je moet wel echt je best doen,' zei Biba streng.

Ebbes nabijheid verhinderde dat evenwel. Overweldigend staarde ze hem met peilloze blik aan, half over hem heen gebogen. 'Hij begrijpt niet wat je bedoelt. Hij kijkt volkomen leeg,' zei ze.

'We zouden kunnen proberen, zijn geheugen te activeren.'

'Daar hebben we geen tijd voor!' riep Biba uit.

'Anders komen we nooit van hem af. Dan zitten we over weken nog met een patiënt,' zei Ebbe. Ze leunde tegen Max' dij. Ze streek haar haren uit haar gezicht. Haar borsten wipten. Ze draaide met haar schouders. Ze keek mysterieus. Ze zei: 'Doe ik je soms aan iemand denken?'

'Nee,' zei Max stellig.

'Hij heeft nog nooit een vrouw gezien,' concludeerde Ebbe.

'Ja, als we hem dat allemaal moeten uitleggen, zijn we wel even bezig,' zei Biba. Ze ging op de grond zitten en keerde haar mand om. De onderste bloemen waren al half verflenst.

'Je moet het groen eraf knippen,' adviseerde Ebbe.

'Sterre,' begon Biba weer eens vruchteloos. Ebbe onderbrak haar.

'Hij heeft natuurlijk ook mensen van wie hij houdt.'

'Ik herinner me nog steeds niets,' zei Max.

'Stel je voor,' zei Biba.

'Ontzettend,' zei Ebbe.

'Stel je voor,' zei Biba weer.

'Dat je de mensen van wie je houdt vergeten bent. Alsof ze er nooit geweest zijn,' zei Ebbe.

Biba nam een tak wilgeroos en wond die om haar vinger. Ze zei: 'Vreselijk.' En nog eens: 'Vreselijk.'

'Ik hoor je wel,' zei Ebbe.

Nu keken ze Max beiden zo beschuldigend aan, dat hij even voor zijn leven vreesde. Maar hij verdomde het om aan Laurie te denken.

Het was trouwens de vraag of ze aan de definitie voldeed.

'Het is hier zo vredig en ongerept. Het lijkt me heerlijk om nog wat te blijven,' zei Laurie. Lupo gaf geen antwoord. Hij was van ontzetting vervuld. Hij dacht: Dit kan zo niet langer, ik heb het niet eerder willen toegeven, maar het kan zo niet langer. Hij legde zijn hand op het trouwe hoofd van de hijgende Evertje Polder.

'Ik zal je een voorbeeld geven,' zei Biba tegen Max. Knip, zei haar schaar. 'Ik hou van Lupo.' Knip, zei haar schaar. 'Ik hou van Mar.'

'Dit kan nauwelijks tot zijn sluimerende geheugen spreken,' zei Ebbe ongeduldig. Ze besnuffelde haar armen, haar schouders, haar oksels. 'De rivier stinkt weer eens,' meldde ze.

Het kwam Max voor dat het zijn beurt weer was om te spreken.

'Zijn al die mensen met die vreemde namen familie?' vroeg hij.

'Nee, Mar is een vondeling,' zei Ebbe.

'Mar is een mongool,' verklaarde Biba.

'Leg nou eerst al dat paarse spul eens apart, Biba,' zei Ebbe en wendde zich weer tot Max.

Agrippina had Mar gevonden, zei ze, in het holst van een bitterkoude winternacht. Ze had zowat een hartverzakking van de emotie gekregen en was in Lupo's caravan met cognac bijgebracht. 'Maar wat moest je in hemelsnaam op dit uur in de tuin doen?' had hij blazend van de schrik gevraagd.

'Geef me eerst nog maar eens een glaasje sherry,' had Agrippina gezegd. Zoals iedere avond, zei ze, ongevoelig voor Lupo's blik, was ze voor haar teint een maneschijnbad gaan nemen. Maanlicht was fabelachtig voor de huid. Had hij niet gemerkt hoe ze tegenwoordig van binnenuit straalde en gloeide?

Die nacht was ze zoals gebruikelijk de tuin ingegaan, haar vingers gekruist om de witte wieven op een afstand te houden die rond het middernachtelijk uur uit de rivier oprezen, hun bleke haren met ijle sluiers bedekt. Eerst had ze gedacht dat het door de volle maan kwam dat ze zo onrustig was. De mens bestond immers grotendeels uit water ten gevolge waarvan men zeer gevoelig voor de maanstand was. 'Net als eb en vloed, eb en vloed,' had

Agrippina gezegd, illustratief op haar stoel heen en weer deinend. In zo'n vollemaansnacht klotste je ziel je als het ware om je oren.

Maar toen had ze iets gehoord. De droefgeestige roep van een uil. Het kloppen van het hete bloed in haar slapen. Kindergeschrei. Het duister had spookachtig gegiecheld en geritseld en af en toe had ze klamme, knokige vingers over haar ruggegraat voelen tokkelen.

'Je liegt,' had Lupo gezegd.

'En toen,' had Agrippina gezegd, 'struikelde ik bijna over dat kind. Hij lag bij de rododendrons. In dat dekentje gewikkeld. Geen levende ziel te bekennen. Dat prulletje lag er misschien al de hele avond. Het is een wonder dat ie nog leeft.'

'Moet hij niet eten? En wat doen we verder met hem?'

'We houden hem,' had Agrippina eenvoudig gezegd. Het had haar enig geleken om iemand te hebben om tegen te praten. Ze had het bundeltje van Lupo overgenomen en het met zorg naar haar keuken gedragen om er melk voor te verwarmen. Sterre had er juist in het donker een rol biscuits zitten eten. Het experiment was haar idee geweest.

'Luister,' had ze de volgende ochtend aan het ontbijt gezegd, 'we gaan dit kind grootbrengen zonder te weten of het een jongetje of een meisje is.'

'Het interesseert me geen biet,' had Ebbe gezegd terwijl ze een haar uit haar havermout viste.

'Ik alleen mag hem luieren en het geheim is veilig bij mij,' had Agrippina stralend gezegd. Ook toen al was Agrippina altijd te porren voor een hoofdrol.

'Volgens mij is het een meisje, of nee,' had Biba boven de tot wieg ingerichte aardappelmand geaarzeld.

'Waar doen we de aardappelen nou in? Jij ook altijd met je stomme spelletjes, Sterre. Laten we nou samen iets leuks doen,' had Ebbe gezegd.

'Weet je wat gek is?' had Biba gezegd, als een petemoei boven het kind hangend. 'Ik weet niet hoe ik tegen hem of haar moet dóén.'

'Precies. Dat is het hele punt,' had Sterre gezegd.

Op dit punt in haar verhaal werd Ebbe door Max onderbroken. 'Hoe verzin je het allemaal!' riep hij uit. Hij amuseerde zich kostelijk. Hij vergat bijna ziek te zijn.

'De werkelijkheid,' zei Ebbe kwaad, 'wil nog wel eens tamelijk fantastisch wezen.'

'Ga door,' moedigde Max aan.

'Ik werp geen paarlen voor de zwijnen,' zei Ebbe definitief. Ze zweeg nurks. Een verhaal laat zich afbreken, maar een herinnering niet.

Zo was het destijds verder gegaan:

'Hoe noemen we het?' vroeg Biba en prikte het kind in de wang. 'Burp,' zei het. 'Aangenaam,' riep Ebbe.

'Als Burp er maar niets van krijgt,' zei Biba.

'Welnee,' zei Agrippina. Ze liet zich haar glansrol niet ontnemen.

'Knettergek,' zei Ebbe.

'Wat het krijgt, is een eerlijke kans,' zei Sterre minzaam.

Ze glom net als de boter die ze dik op haar beschuit smeerde. 'Niemand zal iets speciaals van dit kind verwachten. Het wordt de eerste niet-geprogrammeerde mens.'

'Volslagen knots,' zei Ebbe. 'Wat heb je toch Sterre? Hebben ze jou verkeerd geprogrammeerd? Was je liever eenzijdig geweest?'

'Hou je muil, Ebbe,' zei Biba.

'Sorry Sterre,' zei Ebbe.

En zo groeide Burp op en iedereen sloot weddenschappen met elkaar en Agrippina kreeg het nog veel gezelliger dan ze gedacht had met al die aanloop en pogingen tot omkoping en Ebbe werd een keer betrapt op luiergluren en mettertijd werd het heel gewoon dat Burp hem noch haar was en Sterre knipte uit solidariteit haar lange blonde haren af en ook dat werd na een tijdje heel gewoon en Burp kreeg tanden en nooit, nooit meldde zich iemand om het kind op te eisen en het werd zomer en winter en Sterre kwam vijf kilo aan en kibbelde met iedereen en Burp was langzaam met alles en op een dag zat Ebbe bij Lupo in het tuinhuis en zag Sterre en Burp samen in de tuin spelen. Sterre liet een rode bal stuiteren en Burp sloeg ernaast. Sterre schopte tegen de bal en Burp schopte ernaast. Sterre ving de bal en Burp greep ernaast. Ebbe kon het niet langer verdragen. Ze zei: 'Doe er iets aan, oom Lupo.' Ze opende het raam en riep haar zuster. Die nam de bal onder haar arm en pakte het kind bij de hand. Het struikelde en ze trok ongeduldig aan z'n arm. Ondanks haar zware gestalte, haar houten klompen en haar vormeloze overall bleef Sterre sierlijk. Onder het stoppelige haar was haar gezicht lieflijk. Haar was mislukt wat bij de peuter, een lelijk geslachtsloos wezentje, geslaagd genoemd kon worden. Ze ging op de punt van Lupo's bureau zitten. Burp leunde tegen haar knie en zoog op een duim.

'Wat is er?' vroeg Sterre.

'Oom Lupo wil met je praten,' kondigde Ebbe aan. Voordat iemand iets kon zeggen, was ze al verdwenen. Ze sloot de deur achter zich en drukte haar oor er tegen aan.

Lupo wist niet waar te beginnen. Liefde dreef als ectoplasma uit al z'n poriën en omwolkte haar. Hij hoopte dat ze het kon voelen.

'Wat zie je bleek,' zei hij tenslotte.

'Ik ben ongesteld,' zei Sterre somber.

'O,' zei Lupo.

'Dan zie ik altijd bleek,' zei Sterre.

Er viel een stilte.

'Het is walgelijk,' zei Sterre. 'Al dat bloed.'

Lupo wou haar geheimste wens in vervulling doen gaan. Hij wou haar eeuwigdurende koestering schenken. Hij wou haar hand pakken.

'Je hebt er geen idee van hoe het voelt. Het is te smerig voor woorden. Het druipt tussen je benen. Het stinkt. Het komt en het gaat. Het gaat z'n eigen gang. Je hebt je er maar aan te onderwerpen. Het neemt totaal bezit van je. Ik walg ervan. Ik walg van mezelf.'

'Sterre,' zei Lupo manmoedig, 'dit biedt een aanknopingspunt voor wat ik je wilde zeggen. Er zijn nu eenmaal dingen die zich aan je invloed onttrekken. Niet alles valt onder je macht te brengen. Welnu. Ik wil dat je stopt met Burp.'

'Waarom?' vroeg Sterre.

'Omdat Burp een mongool is.'

'Burp?' zei Burp.

'Nietes,' riep Sterre met donkere ogen.

'Je moet niet weglopen voor de werkelijkheid. We zijn er allemaal van overtuigd. Alleen jij wilt het niet weten. Zie dan hoe z'n oogjes staan. Dat hele koppie. Hij is verschrikkelijk achter voor z'n leeftijd. Hij is zwakzinnig, Sterre. Hij heeft een duidelijke, gerichte opvoeding nodig. We mogen hem niet in verwarring brengen omtrent zichzelf. We moeten hem helderheid bieden. Sprekende voorbeelden. Hij moet zich met iemand kunnen identificeren. We moeten hem helpen.'

'Programmeren, bedoel je,' zei Sterre. Haar stem werd hoog.

Lupo nam zijn bril maar weer eens van zijn neus om hem op te poetsen.

'Je mag iemand er niet op aankijken dat hij niet volmaakt is,' zei Sterre met haar nieuwe stem.

'Ik kijk Burp er niet op aan. Ik wil integendeel het beste voor hem. Of haar. Je stelt te hoge eisen aan dit kind met je opvoeding. Je moet ermee stoppen.'

'Je houdt niet meer van me,' zei Sterre. 'Je verzint expres maatregelen tegen me. Je pakt me opzettelijk het interessantste uit m'n leven af. Waarom zeg je niet meteen dat je me walgelijk vindt? Zeg het maar ronduit. Als je maar weet, dat ik jou een lul vind, oom Lupo.'

Lupo zette zijn bril maar weer op. 'Dit doet me denken aan de boodschapper die doodgeslagen werd omdat hij slecht nieuws bracht. Je kunt het mij niet kwalijk nemen dat de dingen zijn zoals ze zijn. Je moet de werkelijkheid onder ogen zien.'

'Dat,' zei Sterre, 'is de stomste opmerking die ik in tijden heb gehoord. De werkelijkheid bestaat pas, als je je er iets van aantrekt. Je moet de werkelijkheid de kans niet geven, te bestaan.'

'Sommige dingen kun je maar beter accepteren. Je zou kunnen beginnen,' zei Lupo bevlogen, 'met jezelf.'

Sterre stond op. Ze zei: 'Je doet maar. Nu jij Burp veroordeeld hebt tot levenslange stomheid, moet je het verder zelf maar opknappen. Het kan me allemaal geen donder meer schelen. Ik ga een bad nemen. Ik bloed. Ik ben smerig.'

Daverend sloeg ze de deur achter zich dicht. Er klonk enig geraas en toen het uitschieten van Ebbes stem.

In het tuinhuis graaide Burp een brief van het bureau en ging op een hoek sabbelen. 'Niet doen,' zei Lupo. Hij was er niet helemaal zeker van of deze afloop van het gesprek wel door hem beoogd was. Hij had haar waar hij haar hebben wilde en tegelijkertijd leek ze elders. 'Het is voor jullie beider bestwil,' zei hij tegen Burp. 'Sterre heeft net zo min iets aan luchtkastelen als jij. Arthur Schopenhauer: Het lot schudt de kaarten en wij spelen. Napoleon Bonaparte: Aan de fortuin moet men nooit meer vragen dan zij in staat is te geven.'

Hij ging op zijn hurken zitten. Hij knoopte Burps overall los. Het kinderlijf leek wel van rubber, het voelde klam en slap aan zonder mee te geven. Lupo constateerde een zekere mate van opwinding bij zichzelf. Hij sloot zijn laatste weddenschap met zichzelf. Hij stroopte het onderbroekje naar beneden. Hij keek. Hij zei: 'Ergo: ik win.' Hoe merkwaardig dat er een gevoel van anticlimax was. 'Om de een of andere reden,' zei Lupo, 'heb ik nu ineens het idee dat Sterre gelijk heeft en dat het niets uitmaakt.'

Hij nam het kind de vochtige brief uit de hand. De inkt was zodanig doorgelopen, dat er van de ondertekening nog maar een half woord leesbaar was. Hij keek ernaar. Hij keek naar het kind. Hij zei: 'Ik doop je hierbij Mar.'

Daar stond Mar, in een scharrig onderhemdje, haar overall en haar onderbroek op haar enkels, haar identiteit eindelijk vastgesteld, haar lot bezegeld. Ze sloeg haar dunne armen om haar bovenlijf, sperde haar mond open en zette het op een brullen. Lupo had er niets aan toe te voegen.

Ook in het hier en nu zweeg Lupo. Laurie niet. Laurie ging maar door. Ze zei: 'Het is alsof ik hier in een compleet andere wereld ben. Mijn eigen leven komt me ineens zo dwaas voor. Het zou heerlijk zijn om een paar dagen te blijven.'

Lupo hoorde haar niet eens. Hij hield zich nog altijd vast aan de stokoude Evertje Polder. Hij dacht nog steeds: Ik kan er niet meer tegen, ik verdraag het niet langer. Toen drong gelijk een kanonskogel de consequentie daarvan tot hem door. Luidde het Indiase spreekwoord niet: Plannen en woorden zijn kinderen der aarde, daden dochteren des hemels? Lupo was er weer eens in geslaagd, zichzelf als dader aan te wijzen.

'Wat nu?' zei Biba, omringd door op kleur gesorteerde bloemen. Ze ving een spinnetje dat zich uit het groen losmaakte en voor z'n leven over het linoleum begon te rennen. Het kriebelde in haar hand. Ze stond op en zette het in de vensterbank. Ze had besloten, net te doen alsof die vreemde vent in Ebbes bed niet bestond.

'Je moet ze korter afknippen,' zei Ebbe.

'Hoe dan?'

'Een paar centimeter onder de kopjes.'

'En dan?'

Ebbe rolde met haar ogen. 'Stap voor stap. Zelfs een olifant is op te eten als je het hap voor hap doet.'

'Jij bent een verstandig meisje,' zei Max, zijn hand op haar blote heup leggend.

Ebbe keek ernaar. 'Tja,' zei ze bescheiden. 'Herinner je je nou al iets?'

'Het spijt me vreselijk,' zei Max. Verliet die truttige zuster de kamer maar even. Hij kreeg beslist enorme zin in die kleine Ebbe. Daarna zou hij altijd nog kunnen uitzoeken hoe hij hier terecht gekomen was en waar zijn gezin thans uithing. Men diende prioriteiten te stellen.

'Misschien heeft Wibbe hem wel hier gebracht,' overwoog Ebbe. Alleen Wibbe, dacht ze, was gek genoeg voor zoiets: zomaar ergens een bewusteloze man neerleggen en hem verder vergeten.

'Wie is Wibbe nu weer?' vroeg Max.

'Wibbe,' sprak Ebbe zorgvuldig, 'is eigenlijk ook een soort vondeling. Maar als ik je dat vertel, ga je vast weer dom zitten giechelen.'

Max bewoog zijn hand een stukje over haar zachte vel. Hij zei: 'Ik zweer je dat ik ernstig zal luisteren.'

Biba snoof oorverdovend.

'Goed dan,' zei Ebbe. Het was, zei ze, eveneens Agrippina geweest die Wibbe gevonden had. Op een herfstige ochtend had hij op de rand van het hek gezeten en zijn benen laten bungelen.

'Zo,' had Agrippina gezegd, 'en wie ben jij nu weer?'

Wibbe had geen antwoord gegeven. Hij had zijn hoofd scheef gehouden en haar met zijn lichte ogen aangekeken. Agrippina was blij geweest dat ze Sterres lichtgevend-groene bloes aanhad, die zo uitstekend bij haar pasgespoelde haren kleurde. Ze had zeker geweten dat hij zich tien jaar in haar leeftijd zou vergissen. Maar toen hij niets zei, had ze gezegd: 'Ik ga een eindje wandelen. Beweging is zoiets heerlijks.' Ze had een paar vitale stappen gedaan, maar Wibbe had zich niet verroerd. Dan niet, had Agrippina kwaad gedacht en ze was afgemarcheerd totdat ze uit zijn zicht verdwenen was en gewoon lekker onenergiek met haar voeten had kunnen slepen.

Bij haar terugkeer had Wibbe er nog steeds gezeten. Uit een leren buideltje had hij een sigaretje gedraaid. Vanuit het keukenraam had ze kunnen zien hoe hij keurige, kleine rookwolkjes uitblies. Misschien, had Agrippina gedacht, moest ze hem maar een kopje koffie aanbieden.

Nu onderbrak Ebbe zichzelf. 'Je lacht!' riep ze woedend.

'Welnee,' zei Max, 'ik heb gewoon een vrij vrolijk gezicht. Ik ben juist heel belangstellend.'

'Hou maar op, Ebbe,' zei Biba. 'Wat gaat het hem trouwens allemaal aan? Dat zijn onze zaken.' Biba wist nog precies hoe het destijds verder was gegaan.

Zo was het destijds verder gegaan:

Misschien, dacht Agrippina, moest ze hem maar een kopje koffie aanbieden. Er was weer eens geen warm water. 'Sterre! Heb je nou op dit uur al het water alweer opgemaakt!' schreeuwde Agrippina.

'Ja,' riep Sterre vanachter gesloten deuren. Evertje Polder blafte. De indringer daarentegen merkte ze niet op.

Ebbe kwam de keuken binnen, ze sloeg Evertje Polder op haar luie rug, ze kneep Agrippina in haar wang, ze riep: 'Koffie!'

Biba kwam de keuken binnen. Ze stopte even met fluiten om Agrippina te kussen. Een sonate van Hindemith floot ze, compleet met alle opmaten en trillers. Ebbe verhief zich op haar tenen, strekte haar armen en draaide pirouettes tot ze geen lucht meer kreeg.

'Goedemorgen,' zei Sterre somber in de open deur. Evertje Polder blafte.

'Een zondagochtendconcert,' verklaarde Agrippina.

'Het leven lacht je toe,' schreeuwde Ebbe al draaiend.

Als een nachtegaal floot Biba haar lichte loopjes, nog twee keer zo mooi en barok.

Sterre ging zitten.

Iedereen ging zitten.

'Nou,' zei Agrippina.

'Koffie,' zei Ebbe.

'Het water kookt nog niet. Sterre had al het warme water opgemaakt.'

'Je moet geen koffie zetten van warm water,' zei Ebbe verdedigend.

'Daar krijg je kanker van, vraag maar aan oom Lupo,' zei Biba.

'Sterre heeft ons behoed voor een vreselijke dood. Heb dank, heb dank, goede vrouwe,' zei Ebbe. Ze greep haar zusters hand.

Sterre rukte zich heftig los. Ze zag vuurrood. 'Ik ga oom Lupo halen,' zei ze.

'Stomme Agrippina,' zei Ebbe. 'Stomme, stomme, stómme Agrippina.'

'Straks hebben we er twee met een minderwaardigheidscomplex. Schei alsjeblieft uit,' zei Biba.

De tafel was gedekt, het brood gesneden, de eieren gekookt en pas toen de koffie dampte, herinnerde Agrippina het zich weer. Ze keek naar buiten. 'Er zit een man op het hek,' zei ze.

'Hoezo?' zei Lupo. Hij had slaapkreukels in zijn wang. Hoofs schoof hij Sterres stoel aan, tikte Ebbe op haar kruin, Biba op haar neus, Evertje Polder op haar achterwerk en Agrippina op haar wang. Pas toen hij zeker wist dat hij niemand tekort gedaan had, keek hij uit het raam. 'Zitten allemaal. Geen paniek.'

'Ik ben volstrekt niet in paniek,' zei Agrippina. 'Ik wou hem een kopje koffie aanbieden. Ik heb geprobeerd een praatje met hem te maken, maar hij zegt niets. Hij zit daar maar te zitten.'

'Is ie jong en knap?' vroeg Ebbe.

'Ga zitten,' zei Lupo die besprongen werd door een horde angsten. Een insluiper die wellicht om een van de meisjes kwam werven – waren ze eigenlijk wel naar behoren voorgelicht, was er trouwens iets op aarde denkbaar waar ze enig flauw benul van hadden, moest hij hun opvoeding niet eens fermer ter hand nemen, en zijn werk dan, hoe zou hij ooit nog een letter bijdragen aan andermans geluk als hij zich van de vroege ochtend tot de late avond om de meisjes bekommerde? Dit, wist Lupo met grote stelligheid, werd weer net zo'n heilloze situatie als toen met Mar. Marrie! Was het soms haar vader die haar na drie jaar kwam opeisen? 'Waar is Mar?' vroeg Lupo.

'Dáár,' wees Biba.

Ze droeg een te kort flanellen nachthemd en wandelde over het gazon naar de man op het hek. Zo van achteren zag je niets aan haar.

'Waar zijn d'r slippers, verdikkeme,' zei Agrippina.

Op haar gemak sprak Mar de vreemdeling toe, dat was te zien aan de manier waarop ze haar hoofd bewoog en met haar handen gebaarde. Hij legde een hand op haar witte haar. Zowel Lupo als Agrippina werd het te machtig, gelijk een pijl stormden zij de keuken uit, Lupo graaide het kind naar zich toe, Agrippina vatte de man bij de arm en toen keken ze elkaar schaapachtig aan. 'Wat dacht je van een kopje koffie?' herinnerde Agrippina zich ten slotte.

De man sprong soepel van het hek. Hij stak een hoofd boven haar uit. Ze was verrukt. Ze had vast nog wel ergens een kopje met een oor eraan.

'We hebben een gast,' zei Lupo geheel ten overvloede. 'Ga toch zitten, jongen.'

'Ik heet Wibbe,' zei de man.

'Niet daar, die stoel is kapot,' zei Biba.

'Alles is hier kapot, Wibbe,' zei Ebbe.

Sterre zei: 'Ik ken jou.' Ze staarde Wibbe over haar cornflakes aan. Ze liet haar kin op haar handen rusten en ze staarde.

'Denk aan je manieren,' waarschuwde Lupo.

Ogenblikkelijk plaatsten Ebbe en Biba eveneens hun ellebogen op tafel en lieten hun ogen uitpuilen. 'Nou je het zegt,' zei Ebbe. 'Hij komt me heel bekend voor.'

'Ik red mezelf wel,' zei Sterre heftig. 'Jij was er helemaal niet bij. Ik heb hem wel eens in het bos zien lopen.'

'Ik weet van niets,' zei Wibbe schouderophalend. Hij had een diepe stem.

'Dat zit ze heus niet te verzinnen, hoor,' zei Ebbe.

'Het idee,' zei Biba.

'Hij zegt in feite dat Sterre zit te liegen,' zei Ebbe tegen Biba.

'Hij zal zelf wel een leugenaar zijn,' zei Biba tegen Ebbe.

'Ik heb een hekel aan hem,' zei Ebbe. Ze sloeg haar armen over elkaar ten teken dat het onderwerp wat haar betreft afgesloten was.

'Maak me toch niet altijd belachelijk, zet me toch niet altijd voor gek,' barstte Sterre uit, opvliegend en haar stoel omver trappend. Evertje Polder hapte naar haar benen toen ze de keuken uitrende.

'Je wordt bedankt, Wibbe,' zei Ebbe. Haar lippen trilden.

'Verdwijn uit mijn ogen,' zei Agrippina gevaarlijk. 'En jij ook, Biba. Neem Mar mee. Doe haar in bad. Kleed haar aan.'

'Altijd ik,' mopperde Biba. Met hangend hoofd kwam ze overeind. 'Ik krijg in dit pesthuishouden niet eens de kans om te ontbijten. Ik ben ieders slaaf. Doe dit, doe dat.'

'Stelletje sadisten,' zei Ebbe, nog gauw een krentebol meegraaiend.

'Mijn excuses,' zei Lupo tegen Wibbe. 'Ze hebben een lastige leeftijd.'

Agrippina glimlachte hem hartelijk toe. Opgeruimd staat netjes, dacht ze.

'Ik zou die stoel wel even kunnen repareren,' zei Wibbe, 'en als ik een blokje onder die tafelpoot zet, hebt u ook geen last meer van dat gewiebel.' En daarna haalde hij de piep uit de deurscharnieren, hing eindelijk het bordenrek aan de muur, plakte een fietsband en zaagde voor wel vier weken brandhout. De volgende dag kwam hij terug om het verrotte vlonder van de veranda te vervangen. De week erna begon hij aan de dakgoot. 'Met een beetje geluk heb ik voor de winter nog iets aan die gammele schoorsteen gedaan,' zei hij.

'Wibbe,' zei Lupo, 'dit kan toch niet zomaar? Wordt er elders niet op je gewacht, jongen? Is er niemand die zich zorgen over je maakt?'

Maar Wibbe grijnsde slechts en verfde de raamkozijnen.

'En toch heb ik hem echt gezien,' hield Sterre koppig vol. 'Volgens mij wel een paar keer. Liep ie zo'n beetje door het bos te scharrelen. Oom Lupo! Zou hij soms uit de provinciale inrichting ontsnapt zijn?'

Geen wonder, zeiden ze toegeeflijk tegen elkaar, dat Wibbe niets over zichzelf wilde vertellen. Ontzettend, gewoon. Die arme jongen.

'We moeten hem een kans geven om te bewijzen dat hij net als ieder ander is,' zei Agrippina.

'Het is vast goed voor z'n ego om zich nuttig te maken,' zei Ebbe.

'Mijn bed staat al eeuwen scheef,' zei Biba.

'Als hij maar niet gevaarlijk is. Of wordt,' zei Lupo. Toen hielden ze allemaal hun mond aangezien Wibbe net binnenkwam. Nu ze het van hem wisten, was het duidelijk zichtbaar dat hij niet helemaal goed snik was. Eigenaardig, hoe je dat toch kon merken. Zijn gedrag bleef raadselachtig: soms verdween hij zomaar voor een paar dagen, maar hij kwam altijd terug en hij timmerde en hij schilderde en hij rekende af met jaren achterstallig onderhoud en hij bouwde een slaaphok voor zichzelf naast het vermolmde botenhuis en men raakte aan zijn stille aanwezigheid gewend. Alleen Agrippina kon er maar niet aan wennen dat hij nooit iets terugzei. De wereld moest beslist zijn einde naderen als jonge mannen niet meer reageerden op een mooie vrouw. Ze kon het niet uitstaan.

'Die blijft hier eeuwig,' vertelde ze Evertje Polder. En toen was het warme water weer eens op, want Sterre nam haar vijfde bad en aan de extra waslijn die Wibbe voor haar gespannen had, hingen haar bijna stukgewassen kleren.

In het hier en nu was Wibbe inmiddels verdwenen. Zonder groet was hij op zijn tractor vertrokken, Laurie geheel aan Lupo overlatend. Ze zat naast de aan de rivier ontrukte auto in het gras en sprak nog steeds zonder pauzeren voort.

'Ik geloof dat ik heel ongelukkig ben. Mijn man heeft een vriendin. Hij heeft het me drie weken geleden verteld. Hij blijft alleen maar bij mij vanwege het schandaal en de kinderen, zegt hij. Hij zegt dat ik nog blij mag zijn dat hij zo fatsoenlijk is, want dat hij anders allang weg was geweest. Hij kent zijn verplichtingen, zegt hij. Ik mag er dus niet over zeuren.'

Wat ze zei, ging aan Lupo voorbij. Hij dacht: Het leven zal met de dag moeilijker en ondraaglijker voor haar worden. Er moet een einde aan komen. Ik zal er een einde aan moeten maken. Hij krabde Evertje Polder achter haar eeuwenoude oor. Nu hij zijn besluit genomen had, deed zij de rest: ze zag er plotseling wel heel verschrikkelijk acuut uit. Ze hijgde en beefde en dampte. Ze wankelde op haar poten. Het was onbegrijpelijk dat hij niet eerder oog had gehad voor haar pijnlijke ouderdom. Ik zal je uit je lijden helpen, Evertje Polder, beloofde Lupo woordeloos.

'Ik weet zelf niet waarom ik u hiermee lastig val,' zei Laurie juist. Ze keek hem aan. Eindelijk drong tot hem door dat er een beroep op hem gedaan werd. Maar hij wilde haar verdriet niet kennen, want dan zou hij tot steun en troost verplicht zijn en voordat hij het wist helemaal met haar verstrengeld raken. Dat was vaak in een handomdraai gebeurd.

'Ik weet gewoon niet meer hoe ik mijn leven moet leven,' vervolgde Laurie. 'Ik doe alles verkeerd en niemand begrijpt me.'

'Uiteindelijk kan iedereen slechts zichzelf echt begrijpen,' zei Lupo benauwd. 'Je bent zelf de enige aan wie je nooit behoeft uit te leggen wat je bedoelt. Verder is alles misverstand.'

De situatie beklemde hem meer dan hij kon zeggen. Louis Couperus: Het leven is zo eenvoudig, maar de mensen hebben het zo vreemd en ingewikkeld gemaakt. Lupo zuchtte. Hij wilde niet onaardig zijn. Hij zei: 'Het spijt me, maar ik heb het druk. Er moet nog van alles gebeuren voor Sterres feest, vanavond.'

'Een feest?' vroeg Laurie gretig. 'Sterre? Wie is Sterre?'

'Sterre,' begon Lupo. Verder kwam hij niet. Wie was Sterre? Dat had alleen Sterre zelf aan Laurie kunnen uitleggen. Hij had zich te vaak in haar vergist om nog een uitspraak over haar te durven doen.

Zo was het destijds verder gegaan:

'Wat hééft Sterre toch?' vroeg Ebbe. Lupo lurkte aan zijn pijp. Hij wist het niet. Hij wenste dat hij eens rustig kon werken. Hij had al weken vermorst aan het kansloze pogen Marrie te leren haar eigen schoenveters te strikken. Tientallen brieven van wanhopige medemensen lagen op antwoord te wachten.

'Wat kunnen jou die stomme onbekenden schelen! Je lijkt Agrippina wel. Die zit de hele dag haar haar op te steken en tegen Evertje Polder te kletsen en voor ons heeft ze geen tijd,' riep Biba uit.

'Zouden wij net zo egoïstisch worden als we volwassen zijn?' vroeg Ebbe zich af.

'Ik denk,' zei Lupo ten einde raad, 'dat jullie je zorgen maken om niets. Vermoedelijk hoort het gewoon bij Sterres ontwikkeling om zich van jullie los te maken.'

De zusjes wisselden een verbijsterde blik. 'Waarom zou ze?' zei Ebbe op hoge toon.

'Misschien wil ze er niet meer een van een drieling zijn. Heeft ze er behoefte aan, een zelfstandig individu te zijn.'

'Waar is dat nou voor nodig?' vroeg Biba.

'Arme oom Lupo,' zei Ebbe lijzig, 'al die zorgen en die problemen en die gebroken harten hebben je helemaal overspannen gemaakt.'

Met koele gezichten namen ze afscheid. Lupo klopte zijn pijp uit, wat hem een hoop tijd kostte. Hij wist domweg niet wat Sterre mankeerde.

Sterre zelf wist het niet eens precies. Ze wist alleen zeker dat ze er anderen niet mee kon lastig vallen. Daarvoor was het te beschamend. Daarvoor was het te smerig. Ze zweeg in alle talen, terwijl haar obsessie toenam. Ze baadde, trok schone kleren aan en ging doodstil op een stoel zitten wachten. Binnen het uur kon ze zichzelf alweer ruiken: als een dikke walm stroomde haar walgelijkheid uit haar tevoorschijn, het was om van te gruwen, om in te stikken. Er viel niet meer tegenop te schrobben. Waar kwam het toch vandaan? Van binnenuit, dacht Sterre huiverend, vanuit het wezenlijke van haar zijn, vanuit haar verdorven kern. In haar binnenste werd die onzindelijke lucht veroorzaakt die door haar huid naar buiten droop. Ze zou zich van binnen moeten zuiveren en schuren.

'Waar is de Vim?' vroeg Agrippina. 'Sterre, liefje, waarom zit je toch zo te hangen? Ga Biba en Ebbe eens opzoeken, die zijn paddestoelen aan het plukken.'

Ze werd weggejaagd omdat ze stonk. Ze zou zich voortaan moeten afzonderen als een leproze, om anderen niet te hinderen. Ze liep over het kale gazon en sloeg haar armen om een boom. Het schrijnde tussen haar benen, het brandde in haar buik. Daar, dacht Sterre, daar zat het stankcentrum, midden in die weerzinwekkende machinerie van onreinheid. Toen ze haar ogen weer opende, stond Wibbe haar aan te kijken.

'Zie je iets bijzonders?' vroeg ze stuurs.

'Ik zie een lieve jonge vrouw,' zei Wibbe.

'Stom rund,' snauwde Sterre. 'Hoepel toch op.'

Wibbe zweeg. Niemand deed ooit onaardig tegen hem.

'Lazer op!' schreeuwde Sterre. 'Ruik je niet hoe ik stink? Ben je zo gestoord dat je dat zelfs niet merkt?'

'Gestoord?' vroeg Wibbe.

'We weten heus wel dat je uit het gesticht komt,' zei Sterre wreed.

'O,' zei Wibbe geschrokken.

'Ja toch?'

'Ja. Ja.'

Hij was te gek om te beseffen dat het gesprek hiermee ten einde was. Geïrriteerd stompte Sterre tegen de boom en bezeerde haar hand. 'Sodemieter op!' riep ze half huilend. Ze draaide zich om en liep weg. Ze draaide zich steeds vaker om, ze liep steeds vaker weg. Bij haar angst om anderen met haar walgelijkheid te hinderen, voegde zich de angst hen ermee te besmetten: niet langer veroorzaakte haar geheim slechts stank, het had nu bovendien vaste vorm aangenomen. Als gele etter drupte het in haar slipje. Wie haar te dicht naderde, zou erdoor aangestoken worden. Hoe hard ze ook schuurde, hoe kokhalzend diep ze ook bij zichzelf naar binnen drong, in overvloed bleef de pus langs haar benen druipen, in vette klonten bleef zich haar afzichtelijke wanschepseligheid manifesteren. Ze ging op bleekwater over.

Ineengedoken zat ze aan de oever van de rivier, toen Ebbe en Biba naderden. 'Ik heb geen zin!' schreeuwde ze al van verre. Maar ze kwamen onafwendbaar op haar af. 'We hebben de hele zomer nog niet samen gepicknickt,' riep Ebbe. 'Ik heb speciaal broodjes voor je gemaakt. Kom nou mee,' riep Biba bovenaan de dijk.

'Nee!' schreeuwde Sterre gepijnigd. Het drupte tussen haar benen. Haar zusters zouden dood neervallen als ze te dichtbij kwamen. Haar wanstaltige aterling zou haar dierbaren grijpen.

'Dan komen we bij jou!' schreeuwde Ebbe onvervaard terug.

Ze moest hen voor de ondergang behoeden: zonder zich een moment te bedenken ging Sterre te water. Toen gilde ze. Want Ebbe dook, Ebbe plonsde, Ebbe landde temidden van een geweldige waterpartij vlak naast haar in de rivier. Snuivend kwam ze boven. 'Godverdomme, ik breek zowat m'n nek,' zei ze.

Sterre sloeg als een wilde aan het zwemmen.

'Kom op, Biba, zet die mand op je kop, oen,' schreeuwde Ebbe. Midden in de stroom watertrappend, zag Sterre het gebeuren. Ga terug, wilde ze gillen. Ze wist ineens wat het betekende als je hart brak. Het was afschuwelijk.

'Ik heb ook roggebrood,' hijgde Biba, haar korfje met de moed der wanhoop op haar hoofd balancerend.

'Laat me met rust!' riep Sterre. Het schitteren van het zonlicht op het water deed haar ogen tranen.

'En bruine bolletjes,' zei Biba, die haast kopje onder ging.

'Straks zien we haar nog voor onze ogen verdrinken. Die mand moet leeg,' pleitte Ebbe.

'Kan me niet schelen,' riep Sterre, opnieuw een veilig stuk wegzwemmend. Ze zou de monsterlijke gedrochtelijkheid tarten door beter te zijn dan hij, ze zou niet toegeven aan de slechtheid waaruit hij ontsproten was, ze zou hem niet geven waarom hij vroeg. Ze zou er iedere mogelijke prijs voor betalen om hem te overwinnen. Ze liet zich door de golfslag wiegen. Altijd zo te liggen, met dat emaille-achtige blauw voor haar ogen, dat lispelende gekabbel in haar oren. Spoel me schoon, zuiver me, bad Sterre tot de rivier.

Toen ze opkeek, klommen haar zusjes druipend op de oever.

'Egoïstische neuroot!' schreeuwde Ebbe, haar nobelheid vergetend.

'Ik zie je wel kijken, misselijk mispunt! Nou zit Biba te janken omdat d'r broodjes nat geworden zijn!'

'Helemaal niet,' huilde Biba met kinderlijke uithalen. Met haar hoofd in haar armen ging ze zitten wiebelen. Sterre voelde het helemaal tot in haar haarwortels. 'Sorry, Biba,' riep ze.

'Stomme broodjes!' snotterde Biba, haar mand van de wal trappend. Even gleed hij als een gondel over het blinkende water voordat hij vaart verminderde en begon te zinken.

'Ik word er niet goed van!' brulde Ebbe, opnieuw in de rivier springend. Scheldend en tierend en reusachtige hoeveelheden water verplaatsend waadde ze achter de picknick aan. 'En dan te bedenken dat we ons voor je lopen uit te sloven! Dat je maar hoeft te kikken en we doen alles voor je, alles!'

'Hou op, Ebbe,' krijste Biba van de kant, 'je maakt het alleen maar erger met je grote bek!'

'Omdat jij te sloom bent om je muil open te trekken,' krijste Ebbe terug. Haar neus was helemaal gerimpeld en ze zag benauwd van kwaadheid.

Haar slechtheid, haar slechtheid, dacht Sterre. Ze waren al door haar slechtheid aangeraakt. Al zag haar walgelijkheid dan geen kans om tussen haar zusters' benen omhoog te kruipen, hij was er wel in geslaagd, een ravijn tussen hen te slaan. De demon zou hen alle drie vergruizelen.

Bevend van drift beklom Ebbe andermaal de oever. Erin, eruit, het was om volslagen stapeldol van te worden. Ze duwde Biba opzij. Klotsend en bonkend ging ze er vandoor.

Biba, aan de drassige waterkant, had geen idee wat er verder moest gebeuren. Ze hoorde bij hen allebei. 'Zullen we ergens over praten?' riep ze eindelijk over het water. Ze wist zelf niet goed waarover. Ze had eigenlijk alleen maar verstand van hoe je pijnloos een vuiltje uit iemands oog moest halen, een gootsteenputje moest ontstoppen en theeblaadjes uit de pot kon vissen als het zakje gebarsten was. Niemand kon zulke dingen beter en handiger dan Biba. Was er maar zoiets aan de hand. Kon ze Sterre maar verlossen van een klit in haar haar, een splinter in haar vinger of een knoop in haar schoenveter.

Ineens slaakte ze een snerpende gil. Want in de gammele roeiboot kwam Ebbe aangesneld, vliegensvlug de spanen heffend en dompelend. 'Ik kom je halen, Sterre!' schreeuwde ze. 'Ik heb er schoon genoeg van!'

Een verleidelijke gedachte viel Sterre in. Waarom zou de walgelijkheid niet genoegen nemen met één slachtoffer? Ze kon eenvoudig niet meer. Voordat ze wist wat ze deed, had ze de rand van het bootje al gegrepen. Ebbes boze, bezwete gezicht verscheen op ooghoogte.

'Niet schelden,' smeekte Biba vanaf de kant.

'En nou ga jij me eens haarfijn vertellen wat je wilt,' snauwde Ebbe, 'en dat zullen wij dan wel even voor je in orde maken.'

Op dat moment verschenen er achter haar bazige gestalte plotseling twee grote, witte zwanen. In zweefvlucht scheerden ze voornaam over het water; geruisloos en zonder spatten daalden ze in de rivier en schudden hun schuimige veren. Ze waren prachtig. Ze waren smetteloos.

'Nou?' zei Ebbe grimmig.

'Ik wou dat ik een zwaan was,' zei Sterre.

Ook het hier en nu stelde een ieder weer voor problemen. Maar het probleem van de onverwachte gasten leek in ieder geval zijn einde te naderen: Lupo was er in geslaagd Laurie bij de rivier weg te krijgen. Hij ging haar voor op de trap. 'Hier hebben we je man neergelegd,' zei hij, terwijl hij de deur van de meisjeskamer opende. Hij keek. Hij sloot hem met een dreun. Hete lucht vloog hem naar het hoofd, deed zijn kop zowat splijten, koelde ijskoud af en zakte hem in de benen. 'Laten we eerst even een kopje koffie gaan drinken,' zei hij.

In de keuken was Agrippina de kinderen aan het voorlezen. Met door de zon gestoofde hoofden lebberden ze aan grote glazen limonade en zwegen. 'En iedere avond als het wapengekletter van de gladiatoren verklonken was, het zaagsel nat was onder de rode zon en de gesneefde lichamen roerloos wachtten op de koele genade van de nacht,' las Agrippina met klankvolle stem, 'dan stuurde de keizerin haar trouwste page naar de arena om van de nog warme, jonge zwaardvechters…' Gehinderd keek ze op.

Lupo zag nog steeds wat hij zoëven gezien had: zijn naakte Ebbe op de rand van het bed, een mannenarm om haar middel geslagen. Toen kreeg hij rode stippels voor zijn ogen. En vervolgens drongen er eindelijk flarden van Lauries lange monoloog vol overspel, vernedering en verdriet tot hem door. Nu was hij niet langer toeschouwer, nu kon hij zich niet meer onttrekken. Hij zou haar moeten bijstaan, daar had ze eenvoudigweg recht op.

Argeloos ging ze tegenover hem zitten met haar verkreukelde kleren, haar verwarde haren, haar grote zachte ogen – onwetend van het feit dat haar man haar bedroog met zijn engelachtige Ebbe – die vanochtend nog als een kind ontwaakt was en hem met haar frisse lippen op z'n wang gekust had – en die zich nu liet betasten door een trouweloze smeerlap – omdat dat mens met d'r vodden en d'r piekharen en d'r vermoorde-onschuld-ogen hem niet voldoende gaf. Met een snelheid van lichtjaren per seconde suisde Lupo naar z'n werkelijke verantwoordelijkheden terug. Bars zei hij: 'Laat die kinderen zich aankleden.'

Evertje Polder liet zich piepend neer aan zijn voeten. Hij moest haar een verdere aftakeling besparen, hij moest op Ebbes morele ontwikkeling toezien, hij moest Sterres feest voorbereiden, hij zat al tot over z'n oren in de zorg.

'Hebben jullie lekker geroeid?' vroeg Laurie haar zoontjes.

'Aankleden,' herhaalde Lupo. 'Jullie gaan vertrekken.'

'Maar ik zit midden in mijn verhaal,' kloeg Agrippina. Ze wenste dat Lupo niet altijd roet in het eten wierp. Die kinderen waren heel interessant gezelschap en het werd ook tijd dat hun ouders eens enige seconden aandacht aan haar besteedden. 'Je man,' begon ze.

'Ik ga wel even kijken,' zei Laurie. Ze vloog al. Ze had nog meer haar best moeten doen om het Lupo naar z'n ingewikkelde zin te maken, bedacht ze. Ze had wat meer zus, of juist wat minder zo. Had ze maar. Dan zou hij het misschien goed gevonden hebben dat ze nog wat langer bleef. Ze had haar kansen weer eens verknoeid. Max had gelijk dat ze er niet geschikt voor was, voor het leven. Toen stond ze oog in oog met haar echtgenoot.

Het was, geheel tegen haar natuur in, Biba die het eerst iets zei. Ze zei: 'Christeneziele Ebbe, trek nou eindelijk eens iets aan je blote kont.'

'Krijg nou de pleuris,' sprak Ebbe stomverbaasd, 'ik zit hier nog steeds nakend. Ik lijkent wel gek.' Ze maakte een beweging alsof ze Max' deken om zich heen wou slaan. Hij kon hem nog net om z'n heupen houden.

Maar Laurie kon er dwars doorheen kijken. Laurie mocht dan stom zijn, ze was niet blind. En die grote handen van hem had Laurie ook heus wel gezien. Laurie had de hele situatie in één oogopslag door. Maar Laurie liet zich niet kennen. Laurie maakte geen scène. Laurie hield zich flink. Laurie zei: 'Ik ben blij dat je je weer fit voelt.' Laurie draaide zich om en ging terug naar de keuken. Laurie liet haar kinderen met open bekjes op hun stoeltjes zitten. Laurie nam niet eens de moeite, de gazen deur achter zich te sluiten. Laurie liep over de veranda, over de oprijlaan, over de dijk. Laurie opende het portier van de gerepareerde auto. Laurie ging achter het stuur zitten. Laurie ging achter het stuur zitten wachten.

Na verloop van tijd verscheen Lupo met aan iedere hand een jongetje.

'Ik zei toch dat ze niet zonder ons zou weggaan?' zei de oudste.

De jongste zei: 'Pap zegt dat hij er zo aankomt.'

Onhandig zei Lupo door het open raampje: 'Het spijt me.' Hij moest zich nogal mal voorover buigen.

Tot haar eigen verbazing zei Laurie: 'Het spijt u helemaal niet. U bent blij dat we eindelijk ophoepelen, al mag de hemel weten waarom. Waarschijnlijk kunt u gewoon niet tegen het gezelschap van domme, dikke en lelijke vrouwen zoals ik.' Toen ging ze op haar lip zitten kauwen. Iets van een medemens verlangen of verwachten was natuurlijk ook net zo idioot als wensen dat het nooit meer zou regenen. Ze stak haar kin in de lucht. Hoorde ze Lupo daar zweten?

Uiteindelijk doemde Max op. Hij droeg een onverkwikkelijk hijgende Evertje Polder in zijn armen.

'Zet u die hond onmiddellijk neer,' eiste Lupo.

'Hij liep me achterna,' zei Max gebelgd. 'U moet zo'n oude hond niet meer vrij laten rondlopen. Hij kan zowat niet meer op z'n poten staan.'

'Max is een ontzettende dierenvriend, hè Max?' zei Laurie, zonder haar blik van het oneindige af te wenden.

'Het is een zij. Zet haar neer,' zei Lupo.

'Altijd in de weer met trouwe viervoeters,' vervolgde Laurie. 'Toegewijd. Liefdevol. Onvermoeibaar.'

'Ik loop niet voor mijn eigen plezier met uw hond door die hitte te sjouwen,' zei Max tamelijk grof. 'Ik veronderstel dat ik u moet bedanken voor uw hulp, al ontgaat het me vooralsnog hoe we hier verzeild zijn geraakt.'

'Misschien kan uw vrouw u inlichten,' zei Lupo.

'En maar wandelen met onze bouvier,' ging Laurie voort. 'Avonden lang. Zo'n grote hond heeft verbluffend veel beweging nodig, daar sta je gewoon versteld van. Dat kost gauw een uur of drie, vier per avond. Nu hij fijn in het asiel zit, heeft Max eindelijk eens even rust.'

Max stapte in. Ingehouden zei hij: 'Dit zal je berouwen.'

'Goede reis,' wenste Lupo door het raam.

De motor knorde. De jongetjes zwaaiden. Het stof op de weg dwarrelde op. Het leven, dacht Lupo, werd weer gewoon. Hij tilde Evertje Polder op om samen de auto na te kijken. Toen zette hij haar weer neer. Hij slaakte zo'n diepe zucht dat ze er bijna van omverwoei. Hij vermande zich. Hij accepteerde het. Confucius: Als je een steen op je pad vindt, moet je hem oprapen. Subhashitarnava: Wat komen moet, raakt in uw handen, ook al bevond het zich aan de andere zijde der zee. Hoe troostrijk was eruditie toch, door het besef dat men niet telkens opnieuw zelf het wiel hoefde uit te vinden.

Berustend wandelde Lupo de luttele honderd meter die de auto had afgelegd voordat de motor knallend afsloeg. Laurie was bezig, de accu leeg te starten. Max schreeuwde verwensingen. De jongetjes sloopten elkaar van opwinding.

Lupo klapte maar weer voorover. 'Laten we Wibbe er maar bijhalen,' zei hij.

———————

2

De voorbereidingen vergden de hele middag – er moest nog heel wat gebeuren.

Zwart afgetekend tegen het flitterend witte licht op de veranda bood Agrippina een spookachtige aanblik. In haar wijde middaggewaad leek ze wel een reusachtige vleermuis, slepend met de ingewanden van een prooi die bij nader inzien rafelige guirlandes waren. Laurie schrok zich een hoedje toen ze haar daar zo onaards zag rondwaren. Ze had zich een tijdje schuilgehouden, Laurie, in de donkere binnenkamers van het vermaledijde krocht, om haar wonden te likken of zoiets. Maar Max kwam haar niet bezorgd achterna gerend. Hij vertrok met Wibbe naar het dorp, met bazige stem bevelen schreeuwend over sleepkabels en gebroken spoorstangen. Max had een stem als een misthoorn – regen, onweer noch echtbreuk konden hem deren.

Laurie bleef nog een tijd in haar eentje gekwetst zijn en overkoken van vileine plannen die ze toch nooit ten uitvoer zou brengen. Toen kwam ze maar weer tevoorschijn. Van nabij bleek Agrippina gehuld in het ranja-oranje en stoplicht-groen. Ze zag Laurie staren. 'Men moet het leven weten te versieren,' zei ze. 'Het maakt niet zoveel meer uit hoe de dingen er echt uitzien als je ze bedekt met een laagje goudlamé en een toefje slagroom. Hier, pak die lampions eens aan. Als we die in de hoeken ophangen, zal de veranda vanavond net een paleisbordes lijken.'

Laurie nam de vodden aan. Ze had eigenlijk op een blijk van sympathie gehoopt. Snibbig vroeg ze: 'Hebt u die afschuwelijke meisjes met zulke manieren grootgebracht?'

'Heden, nee,' zei Agrippina, 'dat hebben ze zelf gedaan. Die hebben zichzelf opgevoed.'

'U bent toch hun grootmoeder?'

'Ik ben niemands grootmoeder,' zei Agrippina, terwijl ze met vinnige hand de balustrade omwond met slierten champagneroze crêpepapier.

'Maar bij wie horen die meiden dan? Ze wonen hier toch, die sloeries?' vroeg Laurie die niet genoeg eigenheid bezat om zich te kunnen onttrekken aan het sjabloon van de bedrogen echtgenote die haar nieuwsgierigheid naar haar rivale bevredigd moet zien, al kost haar dat haar porcelein, haar nachtrust of haar leven.

'De hemel weet,' zei Agrippina vroom, 'dat we hier niet voor ons plezier met elkaar opgescheept zitten. We proberen er het beste van te maken. Ga je die lampions nog ophangen?' Een hevig ongeduld beving haar. Ze had helemaal geen zin om over anderen te praten. Ze wilde zelf weer eens schitteren. Ze wilde eindelijk weer eens een verhaal kwijt aan iemand anders dan Evertje Polder, die juist op dat moment als een schim in de keukendeur opdook en zich weinig toverachtig naar de balustrade begon te begeven, waarbij haar oude botten kraakten. Ooit had ze een staart als een vlag gehad.

'Uw hond moet ontzettend oud zijn,' zei Laurie afgeleid.

'Ze is geen pup meer,' gaf Agrippina toe. Onverzettelijk vervolgde Evertje Polder haar overtocht. Dampend als een stoomwals sleepte ze haar krakende lijf en leden naar gindse schaduwplek. Ze hijgde er verschrikkelijk bij. Laurie kreeg er een droge mond van. Plaatsvervangend zoog ze haar longen vol en spande ze haar spieren. Met krassende nagels sjokte de huiveringwekkende hond over het houten vlonder.

'Ze doet een beetje flauw vanwege de hitte. Normaal gesproken is ze zo pittig als wat,' zei Agrippina.

'Maar ze moet zo oud als Methusalem zijn,' riep Laurie uit die herademde toen Evertje Polder haar koele hoek bereikte en daar als een blok neerstortte.

'Welnee,' zei Agrippina, voor wie het nog slechts gisteren was dat ze haar met mollige flanken, zwabberpoten en een en al franje door het gras had zien draven. Nou ja, eergisteren dan.

Evertje Polder bleef een toegewijde vriendin met haar inschikkelijkheid, haar iedere beschrijving tartende trouw en haar geduldige oren. Ze was er alleen maar beter op geworden, sinds ze niet meer alle dagen achter de konijnen aanzat. Agrippina besloot dat ze Laurie een stompzinnig wezen vond, blind voor de werkelijke waarden van het bestaan. Ze had trouwens al rimpels bij haar mondhoeken en een loodrechte lijn tussen haar wenkbrauwen, alsof ze te vaak haar voorhoofd fronste als de klok sloeg. Wraakzuchtig bedacht Agrippina hoe makkelijk het was om van rimpels af te komen, maar ze ging haar niets aan haar neus hangen over wakelboom, rozemarijn en ruit. Naar haar werd toch niet geluisterd. Ze trok haar de lampions uit handen om die met driftige gebaren aan de waslijn te knijperen.

'Die meisjes,' pakte Laurie de draad weer op.

'Ik heb het druk,' zei Agrippina. 'Vanwege die meisjes. Vandaag is het Sterres verjaardag.'

'O ja, die Sterre. Die is zeker heel anders dan die twee dellen?' hoopte Laurie, in gedachten terstond bij Max in combinatie met hopen mals jongevrouwenvlees.

'Integendeel,' zei Agrippina boosaardig. 'Het is een drieling.'

'Dat is toch zeker niet normaal?' zei Laurie aan de schrille kant. 'Moet ik dat zomaar pikken? Is ze soms met Max mee naar het dorp? En die twee anderen, waar hangen die uit?' Ze zei: 'Hoezo, Sterres verjaardag? Ze zijn toch drielingen? Dan zijn ze toch zeker allemaal jarig? Of vieren ze het om de beurt? Zodat ze er langer plezier van hebben? Zodat er vaker taart is? Zodat ze niet met elkaar hoeven te delen? Zodat ze alledrie aan hun hebberige trekken komen?'

Zoveel vragen die anderen betroffen in plaats van haarzelf – het was meer dan Agrippina verdragen kon. In wapperend ranjaoranje en stoplicht-groen sloeg ze op de vlucht om in de keukendeur op Lupo te stuiten die keelschrapend en met ijle blik langs haar heen keek. 'Kom uit je concentratie,' eiste Agrippina, 'doe iets, neem haar mee.'

'O moeder,' zei Lupo. 'Nu al? Ik had zo graag nog even gewacht.' Hij hurkte bij Evertje Polder en begon haar te bekloppen. 'Ouwe jongen. Ouwe jongen.'

'Schiet op Lupo, ik kan er niet meer tegen,' siste Agrippina die zag aankomen dat Laurie met een nieuwe toehoorder opnieuw uren uit de voeten zou kunnen. Jawel, daar ging ze weer. 'Wat voeren die sloeries in hun schild? Waar blijft mijn man? Kan dat allemaal zomaar?' vroeg ze Lupo die zonder ophouden Evertje Polder beklopte.

'Je ziet toch zelf dat dit niet langer kan,' zei Agrippina.

Ze stormde alsnog naar binnen, sloeg de gazen deur achter zich dicht en ging woedend met haar vingers in de oren in haar stoel zitten schommelen tot ze er zeeziek van werd. Daarna beluisterde ze argwanend de stilte. De kust leek veilig te zijn. Ze moest maar eens gauw haar beklag gaan doen bij Evertje Polder. De schaduwrijke hoek was leeg. De veranda was verlaten.

'Lupo!' riep Agrippina. 'Breng Evertje Polder terug!' Kwaad sloeg ze naar de verflenste lampions. Die Laurie had zoveel van haar kunnen leren, als ze de moeite genomen had haar geklets over zichzelf een moment te staken. Er was niemand die zoveel verstand van mannen en vrouwen had als Agrippina. Ze had haarfijn kunnen uitleggen hoe liefde in z'n werk ging. Dat had ze Evertje Polder ook uitgelegd. Evertje Polder kon haar verhalen wel dromen, maar ze bleef attent. Evertje Polder was een kameraad uit duizenden. Ze had maar een keer iemand ontmoet, van wie ze meer had gehouden.

Die had wel een naam, maar daarmee sprak zijn wettige echtgenote hem al aan. Daarom vernoemde Agrippina hem naar het produkt waarmee hij zo kolossaal rijk geworden was: Allesplakkerlijm, De Lijm Die Alles Plakt. Dat klopte – ze had er haar enige ontbijtbordje mee gerepareerd en dat hield als een huis.

Ze ontmoette hem in het apenhuis van de dierentuin, waar ze 's winters veel tijd doorbracht om stookkosten te besparen. Ze zat er zo vaak, dat ze de apen met haar ogen dicht had kunnen uittekenen. Ze verveelde zich een ongeluk. Ze was achttien. Ze had bronchitis, honger en de helderblauwste ogen die de Allesplakker ooit gezien had. Hij ging naast haar op het bankje zitten. Hij was zestig. Hij had een hartvervetting, een eigen kleermaker en een voorkeur voor jonge meisjes.

Samen keken ze naar de apen.

'Zie je die dikke daar?' vroeg de Allesplakker. 'Die heb ik speciaal uit het Amazonegebied laten halen en aan de dierentuin geschonken.'

'Het Amazonegebied,' herhaalde Agrippina onder de indruk. Dat moest ergens buiten de stad liggen.

'Een kostbare onderneming,' vertelde de Allesplakker, 'maar ik had er zo genoeg van om wandtapijten in ziekenhuizen op te hangen. Ik wou eens een andere vorm van liefdadigheid beoefenen.'

Agrippina nieste.

In het restaurant van de dierentuin legde de Allesplakker zijn hand op de hare. Ze wou net aan haar appelgebakje beginnen. 'Vanavond geef ik een feestje. Heb je zin om te komen?' vroeg hij. Ze knikte maar gauw en kreeg haar vork te pakken. Het gebak maakte een vrije val door haar uitgeholde binnenste en begon meteen een verrukkelijke warmte door haar hele lichaam te verspreiden. De laatste hap doorslikkend zei ze: 'Ik heb geen kleren voor een feestje.'

Liever had ze eerst nog een kopje hete koffie gehad, maar de Allesplakker stond erop om onmiddellijk een jurk voor haar te gaan kopen. 'Maar waarom?' vroeg Agrippina, naast hem in zijn geruisloze auto.

'Omdat jij de mooiste ogen hebt, die ik ooit gezien heb,' zei de Allesplakker, wat nog waar was ook.

Lieve hemel, dacht Agrippina, nu zal ik wel verliefd worden. Al haar saaie, lange dagen had ze hierop zitten wachten, op een prins die haar zou komen redden van de armoe en de verveling. Ze bezag haar prins van terzijde en weifelde. Maar dat tintelend warme gevoel van binnen en die lome zwaarte in haar benen vielen niet te loochenen. Hij moest de ware zijn.

De Allesplakker zocht een lichtgele jurk met pofmouwen en een gesmockt lijfje voor haar uit. Ze leek er wel twaalf in. Toen nam hij haar mee naar zijn appartement aan de rand van de stad en ontmaagdde haar.

'Doen we nu voortaan alles samen?' vroeg Agrippina. Ze zat in het zwartmarmeren bad en dronk champagne. Haar haar plakte kinderlijk tegen haar gezicht. Ze was precies wat hij nodig had, dacht de Allesplakker. Hij zou warme laarzen voor haar kopen en een bontmanteltje en hij zou de spannende juweliersdoosjes bij dozijnen aanslepen.

'Je bent wel erg gul,' zei Agrippina met grote ogen. Dat was hij zeker. Daarom deelde hij haar 's avonds ook met zijn vier zaken-vrienden. Ze vonden het allemaal een heel geslaagd feestje, alleen Agrippina moest de hele tijd huilen toen ze met z'n drieën tegelijk bij haar naar binnen probeerden te gaan. 'Vanmiddag was je zo lief,' zei de Allesplakker, 'vooruit, lachen, wat moeten mijn vrien-den wel niet van je denken.' Toen het gezelschap eindelijk af-scheid nam, had ze overal spierpijn en bibberde ze als een rietje. De Allesplakker wikkelde haar zorgzaam in haar jas en zette haar op straat. Ze deed er tweeëneenhalf uur over om naar haar ijs-koude kamer te lopen.

De volgende dag kwam hij net aanrijden toen de hekken van de dierentuin gesloten werden. Er viel een tamelijk natte motregen. Agrippina stapte in.

'Als ik niet van je hield, zou ik je niet zijn komen halen,' zei de Allesplakker. 'Je bent nog zo'n kind, je begrijpt niets van de liefde. Waarom denk je dat ik hier door kou en regen rijd? Dus als jij werkelijk van mij houdt, zul jij het ook makkelijk voor me over-hebben om de dingen te doen die ik je vraag. Maar hoe zou jij dat moeten weten, klein, klein kleutertje van me? Let maar goed op, dan zal ik je de liefde leren kennen.'

Aldus leerde Agrippina de liefde kennen. Eindeloze avonden lang kreeg ze de kans, te bewijzen wat ze voor de Allesplakker overhad. Dat leverde haar een flat op, een uitgebreide garderobe en een kist juwelen. De waardering, de affectie en de generositeit van de Allesplakker kende geen grenzen. Hij honoreerde al haar grillen: omdat ze zo nieuwsgierig was naar zijn prachtige villa en zijn oogverblindende echtgenote, mocht ze zelfs op het jaarlijkse Allesplakker-bal aanwezig zijn. In een zwarte serveerstersjurk mocht ze met bladen champagne door de prachtige villa rond-lopen en er getuige van zijn hoe de oogverblindende mevrouw Allesplakker het bal opende. Zoveel pracht en praal had ze nog nooit aanschouwd. Ze voelde zich buitengewoon bevoorrecht, al waren haar enkels opgezet van het urenlange staan en leken haar armen wel van lood door de vrachten consumpties.

Haar geluk wankelde toen ze in hun tweede zomer zwanger raakte. De Allesplakker stikte zowat van woede. Hoe durfde ze zijn illusies te verstoren! Hoe durfde ze op te houden een onschuldig kind te zijn! Hoe durfde ze een vrucht in haar buik te laten groeien! Hij liet haar barsten en vallen en verdween met slaande deuren.

Agrippina kon het een hele tijd uitzingen door haar juwelen te verkopen. Haar bontjas sleepte haar door de laatste maand van haar zwangerschap. In gedachten rook ze het apenhuis alweer. Op de dag dat de baby uitgerekend was, belde de Allesplakker op. 'Nu alles achter de rug is, kunnen we weer op de oude voet verdergaan,' zei hij. 'Ja,' zei Agrippina, huilend van dankbaarheid en van de eerste wee.

Haar zoontje werd bij een goede vrouw in de provincie ondergebracht, waar hij voorspoedig opgroeide. Een enkele keer kwam zijn moeder hem bezoeken. Ze droeg haar haar in meisjesachtige vlechten en ze was altijd zo opmerkelijk gekleed dat iedereen haar voor een filmster aanzag. Vanaf het moment dat hij kon schrijven, stuurde haar zoon haar iedere week een liefdesbrief. Zijn kamertje hing vol met foto's van zijn wonderbaarlijke meisjesmoeder. 'Wanneer mag ik bij je komen wonen?' schreef hij. 'Gauw,' antwoordde Agrippina jaar na jaar, terwijl de Allesplakker oud en humeurig werd. 'Ik begrijp niet wat ik ooit in je gezien heb. Nu je je jeugd verliest, blijft er niets meer van je over,' zei hij.

Agrippina was dertig en haar ogen waren nog altijd groot en helderblauw. Maar eromheen begon haar huid droog te worden. Haar voorhoofd was niet glad meer. Als ze niet lachte, was er in haar mondhoek het begin van een rimpel waarneembaar. Er viel met geen honderd potten crème tegenop te zalven: ze werd iedere dag een dagje ouder.

In haar boudoir, dat op de binnenkant van een bonbondoos leek, maakte Agrippina zich zorgen. De Allesplakker deed krenterig en uit de provincie was een verzoek om nieuwe voetbalschoenen gekomen. Toen ze zag hoeveel lijnen en rimpels haar gepieker veroorzaakte, hield ze ermee op en trok haar roze babydoll en witte sokjes aan.

Na zijn vijfenzeventigste hield de Allesplakker op, seksueel te functioneren. Hoe kon hij ook opgewonden raken van zo'n verloederd vod als zij, klaagde hij. Hij kocht een herdershond en richtte hem af. 'Wat een moeite moet ik niet doen om bij jou nog iets te beleven,' zei hij terwijl de hond Agrippina naaide. Vierendertig was ze nu en terwijl ze geknield op de grond voorover lag, waren er bij haar scheiding een paar grijze haren te zien. Ze liet ze pikzwart verven en nam driemaal daags wisselbaden om haar borsten stevig te houden. Het leek wel, alsof de ene iets lager hing dan de andere. Nou ja, alles begon te zakken. Haar wangen, haar oogleden en een stukje vlees dat alleen maar een onderkin kon worden.

Kwam hij maar eens een leuk, fris ding tegen, zei de Allesplakker. Of was zij destijds maar zo nadenkend geweest om een dochter te baren. En de gedachte aan dat romige kindervlees wond de Allesplakker zo op, dat hij donkerpaars werd en begon te reutelen. Agrippina, die met gespreide armen en benen op het bed vastgebonden lag omdat hij haar weerloos nog wel enigszins opwindend vond, had eerst niets in de gaten. Pas toen hij overeind kwam en stuiptrekkend en molenwiekend door haar mooie boudoir begon te wankelen, besefte ze dat haar minnaar bezig was te overlijden aan een hartaanval.

'Maak me los!' gilde ze. Als een reusachtige zoutzak viel hij schuin over haar heen, schokkend en krampend en haar een tand door haar lip stotend. 'Maak me los!' gilde Agrippina bloed spugend.

Er vormde zich schuim in zijn mondhoeken. Zijn paarse wangen trilden. 'Egoïstisch kreng!' kon hij nog net zeggen voordat hij de geest gaf.

Agrippina gilde. Na een minuut of tien hield ze daarmee op. Dood leek de Allesplakker nog wel twaalf keer zo veel te wegen als hij levend gedaan had. Ze moest onder hem vandaan. Ze rukte aan haar touwen. Ze wrong met haar lichaam. In de hoek jankte de hond verontrust. Toen ze hem riep, besprong hij haar zonder oponthoud om zich gehoorzaam in haar vast te steken. Bedolven onder de dode man en de pompende hond voelde Agrippina dat ze hysterisch werd.

Er volgden enige uren die voorgoed uit haar herinnering verdwenen. Tegen de ochtend begreep de hond dat er iets anders van hem verwacht werd. Maar hij was zo uitgeput dat het tot het middaguur duurde voordat hij de touwen had doorgebeten en Agrippina van haar bed kon verrijzen.

Na de begrafenis werd ze door een van de zakenvrienden van de Allesplakker bezocht. Ze moest onafgebroken giechelen terwijl hij haar van achteren en van voren neukte. 'Kun je niet even ophouden?' vroeg hij, maar het was net alsof ze helemaal vol luchtbelletjes zat die een voor een ontsnapten. De hond werd er gewoon zenuwachtig van. Ze ging zelfs door toen ze hard in haar gezicht geslagen werd. Met haar eigen slipje in haar mond gepropt werkte Agrippina haar hele repertoire af. De vriend moest toegeven dat ze talent voor de liefde had. Dat haar zoon een racefiets nodig had en zijzelf net een elektriciteitsrekening ontvangen had, vertelde Agrippina. Kon hij een en ander even in orde maken?

De vriend trok zijn sokken aan. Zo'n dure vrouw als zij kon hij zich niet veroorloven. Bij de deur riep hij nog: 'Ik zou maar een plaatsje in een bordeel zoeken. Dat is het enige wat je kunt.'

Erkentelijk voor zijn goede raad ging Agrippina op pad. 'Ik heb op het moment weinig vraag naar rijpere types,' zei de bordeelhoudster. 'Die heroïnehoertjes van dertien, veertien jaar hebben de markt helemaal verpest.'

'Ik doe erg mijn best om jong te blijven,' zei Agrippina. Ze bleef zeven jaar en ze bleef zeven jaar haar tarieven verlagen. Vaak prees ze zich gelukkig dat ze dankzij de Allesplakker tenminste een vak geleerd had. Ze dacht met warmte aan hem terug. Hij was haar grote liefde geweest en had haar alles bijgebracht wat ze wist. Niemand, niemand zou hem ooit kunnen vervangen.

Op een dag herinnerde ze zich haar zoon. Hij moest nu bijna volwassen zijn. Sinds de vorige avond had ze geen klant meer gehad en daarom trok ze haar jas aan, nam haar tas en stapte op de trein. Ze was benieuwd hoe het met hem was. Ze voelde haar moederhart kloppen.

Hij was bezig, een rozenstruik te snoeien toen ze arriveerde. Hij herkende haar meteen, al had hij haar in geen jaren gezien. Hij gooide zijn schaar van zich af. Hij trok een halfgeopende roos uit het afval tevoorschijn en stak die in haar knoopsgat. Toen sloeg hij zijn armen om haar heen en riep: 'O moeder!'

'Ja kind,' zei Agrippina, 'ik kom je eindelijk halen.'

'O moeder,' riep Lupo weer. 'Wat moet je al die jaren hard gewerkt hebben! Om voor mij te hebben kunnen zorgen! Wat moet je veel van me houden! Je hebt zo hard gewerkt dat je niet eens tijd overhield om me op te zoeken!'

'Ja,' zei Agrippina, die niet wist dat zijn pleegmoeder hem met die verklaring van haar afwezigheid door zijn eenzame jeugd had geloodst. Ze vond dat het nogal klopte. Ze voelde zich volmaakt tevreden met het leven. Ze had haar taak volbracht. Ze bezag haar zoon. Ze zei: 'Dan kun jij nu verder voor mij zorgen.'

De voorbereidingen vergden de hele middag – er moest nog heel wat gebeuren.

Ingebunkerd in dikke lagen zieligheid en zelfmedelijden sjokte Laurie achter Lupo en Evertje Polder aan. Telkens als zij stilstonden voor een adempauze, hield Laurie eveneens zielloos halt, liet haar hoofd hangen en zuchtte diep.

Ook Lupo ademde iets zwaarder dan normaal. En wat Evertje Polder betrof, haar raspende gehijg overstemde alles. Zo gingen ze voort totdat Laurie ineens in tranen uitbarstte en hikkend riep: 'Ik wil het niet meer!' Onophoudelijk overspoelden haar nieuwe beelden van Max en zijn vriendin, Max en Ebbe, Max en Biba, Max en Sterre, Max trok met zijn complete harem aan haar voorbij, de ene vreselijke sensatie na de andere veroorzakend. Lupo zag zich genoodzaakt haar op de schouder te kloppen. Hij was bang dat hij een erge hekel aan haar begon te krijgen.

Eindelijk erkenning vindend, klampte Laurie zich aan zijn revers vast en sloeg aan het brullen. Er zat voor Lupo niets anders op dan zijn armen om haar heen te slaan. Ze slikte en snotterde. Met haar gezicht tegen zijn borst gedrukt zei ze gesmoord: 'Ik stel me belachelijk aan.'

'Wat zegt u?' vroeg Lupo.

'Dat ik me belachelijk aanstel,' schreeuwde Laurie omhoog.

'Ach,' zei Lupo neutraal. Appolonius Rhodius: Niets droogt sneller dan een traan. Zwaar leunde Laurie tegen hem aan. Evertje Polder besloot nu ook een partijtje mee te leunen. Ze ging tegen zijn been hangen en kreunde behaaglijk. Omstuwd door lichamen vreesde Lupo dat hij flauw zou vallen van de hitte. Laurie mompelde onder zijn kin. 'Wat zegt u?' vroeg hij opnieuw.

'Dat u een hele steun bent,' riep ze. Hij gaf haar nog maar een paar klopjes. Hij hoopte dat Evertje Polder het niet zou merken en jaloers werd. Bij die gedachte werd hij ineens gewaar hoe het geweer tegen zijn schouder drukte. O Evertje Polder, dacht hij, o Evertje Polder, je hebt je bestemming bereikt. Vreugde was gepast.

'Ik ben zo blij,' zei Laurie moeilijk verstaanbaar, 'dat u me tenminste begrijpt.'

'Tja,' zuchtte Lupo en probeerde onmerkbaar zijn gewicht van zijn ene naar zijn andere been te verplaatsen.

Laurie nu, wist niet wat ze meemaakte. Plotseling stond deze boze, koele man tegen haar op te duwen en te dringen. Hij zuchtte en kreunde, steunend bewoog hij zijn lichaam langs het hare. Ze voelde het tot onderin haar ruggegraat. Het leek wel alsof hij zichzelf nauwelijks meer in bedwang had. Waarom, bedacht ze, zou Max de enige zijn die erop los leefde? Ze wierp haar hoofd achterover en sloot haar ogen.

Lupo staarde een hele tijd in het naar hem opgeheven gezicht voordat hij begreep, ergo, wat er van hem verwacht werd. Beleefd drukte hij zijn lippen op de hare. Hij hoopte dat hij het goed deed. Hoe lang vond ze dat zoiets moest duren? Hij raakte altijd zo snel buiten adem door zijn astma. En hij moest er niet aan denken dat ze iets besmettelijks onder de leden had.

'U maakt misbruik van de situatie,' zei Laurie schalks toen de kus eindelijk afgewikkeld was. 'Wat zal mijn man hier niet van zeggen?' Ze keek blij.

'Laten we het bos ingaan,' zei Lupo, dankbaar dat een en ander tot een goed einde was gebracht. Hij bukte zich om Evertje Polder over haar scharrige kop te aaien. Vreugde was gepast, maar het lukte hem niet erg, die te voelen. O, Evertje Polder.

'U loopt wel erg hard van stapel,' ademde Laurie.

'Sommige dingen verdragen geen uitstel,' zei Lupo. Hij zette zijn bril af en weer op. 'Uitstel zou buitengewoon liefdeloos zijn.'

'Ik begrijp het,' zei Laurie met haar liefste glimlach. Haar benen leken wel vloeibaar toen het gezelschap zich opnieuw in beweging zette. Maar met iedere stap werd ze lichter. Ze kon voelen hoe haar huid begon te tintelen, hoe haar haren zich in zachte golven langs haar gezicht krulden, hoe haar wimpers groeiden en hoe haar iets te grote oren tot volmaakte schelpen slonken. Ze werd begeerd. Thuis moest het licht altijd uit. Alleen als ze de blonde pruik droeg die Max een keer voor haar had meegebracht, wilde hij naar haar kijken. Als ze iemand anders leek, legde hij uit, was het een stuk gemakkelijker om met haar naar bed te gaan.

Ze keek opzij naar haar toekomstige minnaar. Het leek wel alsof hij in zichzelf liep te prevelen. Repeteerde hij de lieve dingen die hij straks tegen haar zou fluisteren? Verlangde hij soms iets vreemds en ongebruikelijks van haar en durfde hij haar dat niet te vragen? Ze stak haar arm door de zijne en drukte hem even.

Lupo kon geen touw vastknopen aan haar morsesignalen. Bovendien was hij zelf juist telepathisch met Evertje Polder aan het communiceren, bij wijze van mantra niet-bang-zijn, niet-bang-zijn herhalend.

'Hier moet het dan maar gebeuren,' zei hij toen ze een aarden wal bereikten die bedekt was met overweldigend bloeiend mos. Het oranjegele waas schitterde voor zijn ogen. 'Niet bang zijn.'

'Nee,' fluisterde Laurie, op het mos plaatsnemend. Ze zag Lupo staren alsof hij haar voor het eerst bekeek. Ze hoopte dat hij zich straks niet zou storen aan de veiligheidsspelden die haar beha bij elkaar hielden. Max kon altijd dwars door haar kleren heen zien hoe onverzorgd ze er weer bij liep.

'Waarom gaat u daar nou zitten?' riep Lupo geërgerd. In zijn meditatieve aandacht voor Evertje Polder was hij het mens helemaal vergeten. Evertje Polder moest daar liggen op het zachte bed van minuscule bloempjes, op dat vliegende tapijt naar de eeuwigheid. Hij stak Laurie een hand toe en trok haar overeind.

'Staand?' vroeg ze.

'Zwijg nu toch eens,' verzocht Lupo. Waarom moest ze dit sacrale moment verstoren? Prediker 5: Laat uwe woorden weinig zijn. En wat deed ze nu weer? Ze trok haar gekreukte jasje uit! Ze knoopte haar bloes los! Ze schudde hem over haar schouders uit! Ze stond in het verpletterende zonlicht in een zwarte beha, haar armen slap langs haar lichaam.

Ze moet iets van me, dacht Lupo.

Laurie glimlachte en hief haar armen. Ze trok Lupo's hoofd tegen haar borsten. Haar blote arm beroerde de loop van het geweer aan zijn schouder. Ze was plotseling erg opgewonden. Max zei altijd dat het wemelde van de perverselingen. Niet gewend aan zulke buitenissige gedachten klemde Laurie Lupo nog steviger vast.

'Au, verdomme,' zei Lupo en wrong zich los. Zijn bril viel op de grond. Aan de zijkant van zijn neus vormde zich een helderrode bloeddruppel. 'Ik heb mijn gezicht opengehaald! Ik bloed!' riep hij, vanuit een schele ooghoek waarnemend hoe het wondvocht uit hem opwelde.

'Het is maar een drupje,' zei Laurie, haar spelden zenuwachtig weer in het gerede brengend.

'Het moet uitgewassen en ontsmet worden,' schreeuwde Lupo, al bijna schuimbekkend van de tetanus. Hij zocht als een dolle naar een zakdoek om de stroom te stelpen.

'Het bloedt al niet meer,' suste Laurie. Ze wist niet zeker wat hij nu van haar verwachtte. Misschien moest die levensgevaarlijke beha eerst maar eens uit. Op dat moment klonken er kinderstemmen en knapte het in het onderhout.

'Jeminee,' hapte Laurie. In minder dan drie seconden zat ze weer in de kleren. Ze sloot net haar laatste knoop toen haar zoons door de struiken braken, Marrie aan een touw met zich meeslepend.

'Marrie!' riep Lupo uit. Hij onderschepte het spartelende kind.

'Lieve God, Marrie! Je zit helemaal onder de striemen! Wie heeft je zo toegetakeld?'

'Ik, ik, ik,' riep Mar in haar handen klappend.

'Ja jij,' hijgde Lupo. Hij werd ogenblikkelijk gek van zorgen.

'O jongens toch,' zei Laurie zwak.

'We hebben niks gedaan,' jankte de jongste meteen.

'We zijn om de beurt de gevangene,' zei de oudste.

'Dan is Marries beurt nu voorbij,' zei Lupo, wild om zich heen ziend. Hij kreeg het touw nauwelijks los, zo trilden zijn handen. Zodra ze vrij was, onttrok Mar zich watervlug aan zijn greep en wierp zich op Evertje Polder die inmiddels geheel volgens scenario op het mos lag. Eerst Evertje Polder, dacht Lupo dodelijk vermoeid, en dan de voorbereidingen voor Sterres feest nog: hij had geen tijd om het kind eigenhandig veilig naar huis te brengen. Door alle complicaties raakte zijn middag volslagen vermorst.

'Het is afgelopen met die wilde spelletjes,' zei hij tegen de jongetjes. Hij herhaalde het driemaal.

'Afgelopen, uit,' zei Laurie op de achtergrond. De magie van het moment is verbroken, dacht ze treurig. Ze kon het niet helemaal opbrengen om haar kinderen aan te kijken. Ze vroeg zich af hoe Max dat deed.

'Jullie brengen haar rechtstreeks naar huis,' beval Lupo. Hij herhaalde het eveneens driemaal.

'En voorzichtig!' voegde Laurie er aan toe. Misschien kreeg ze weer greep op de situatie. Met een gevoel van opluchting zag ze haar jongetjes verdwijnen. Moederlijke verantwoordelijkheid paste niet zo erg bij haar avontuur.

'We moeten opschieten,' zei Lupo nors.

'Ja,' zuchtte Laurie zo hees mogelijk. Ze stond meteen weer te trillen op haar benen. Ze keek Lupo aan. 'Het hoeft niet langer,' zei Lupo vlak langs haar heen kijkend tegen de stokoude Evertje Polder. Jachtig ademend keek de hond terug. Ze zwaaide met haar staart alsof er lood aan hing. Ze kwam half overeind.

'Het hoeft niet meer,' zei Lupo met dikke stem.

'Hoeft het niet meer?' herhaalde Laurie. 'Maar je kunt hier toch niet zomaar een einde aan maken?'

'Jawel,' zei Lupo, het geweer van zijn schouder nemend. Feilloos trof hij Evertje Polder tussen haar ogen. Alfred de Musset: Van alle zusteren der liefde, is medelijden een der schoonste.

Daarom had hij de lelijkste meid uit de wijde omtrek getrouwd. Mooi of lelijk, dat was hem om het even en bovendien maakte hij een medemens graag gelukkig: als hij zich niet over haar ontfermd had, zou ze zeker zijn overgeschoten. Ook was zij de enige die genade kon vinden in Agrippina's ogen, met haar schotse schouder, haar scheve heup, haar platvoeten en haar knobbelneus.

Ze werkte in het inferno van de conservenfabriek waar ze de hele dag in walmende reuzenketels blubber tot worstvulling roerde. Haar salaris was precies voldoende om haar man en haar schoonmoeder van te onderhouden.

Soms verdiende Lupo iets bij wanneer een tijdschrift een van zijn gedichten publiceerde. Meestal bracht hij de dag samen met Agrippina door in de stadsbibliotheek waar hij de kranten las en langs de eindeloze boekenrijen wandelde terwijl de inspiratie hem door de kop raasde. Agrippina bestudeerde onderwijl de damesbladen. Ze stonden barstensvol recepten over hoe men eeuwig jong en stralend mooi kon blijven.

Als hij aan het einde van de dag gearmd met haar naar huis wandelde en de mensen hen op straat nakeken, zwol Lupo's hart van trots om zijn mooie meisjesmoeder. Zijn geluk was compleet. Thuis wachtte zijn knobbelvrouwtje met de hutspot.

'Vind je niet dat je moeder een beetje eigenaardig wordt?' fluisterde ze op een avond in bed. 'Met haar potjes en haar kruiden en die obsessie om jong te willen blijven? Ze denkt aan niets anders. Is dat niet een tikkeltje hysterisch?'

Ze was jaloers, besefte Lupo bedroefd. Hij voelde haar schotse schouder en haar scheve heup tegen zich aandrukken en hij draaide zich om om haar te omhelzen: zijn liefde zou haar haar naijver doen vergeten. Hij moest opletten dat hij zijn aandacht gelijkelijk over de beide vrouwen verdeelde. Het was zijn schuld als een van hen tekortkwam.

Zelfs na het ongeval van zijn vrouw veranderde er niets in

Lupo's paradijs. Op de conservenfabriek had ze niet op tijd kunnen wegduiken toen er een verse container slachtafval in haar kuip werd gestort. Ze had met zoveel geweld een lading varkenskoppen op haar hoofd gekregen dat ze duizelde en haar evenwicht verloor. In de neerstortende lijkenmassa glibberde ze over de spekkige vloer van haar ketel weg; vallend en glijdend daverde ze voor de ogen van haar collega's voorbij en schoot ze met een vaart onder een naderbij dreunende trolley die haar beide benen in één klap verbrijzelde. In het ziekenhuis werden ze vlak boven de knie afgezaagd.

Toen ze in haar rolstoel thuis kwam, verzekerde Lupo haar dat hij onbedaarlijk veel van haar zou blijven houden. Dat bewees hij door haar meteen zwanger te maken. Haar buik bolde over haar beenstompjes. Lupo was buiten zichzelf van vreugde. Alleen Agrippina was niet ingenomen met deze ontwikkeling. 'Ik ben te jong om grootmoeder te worden,' klaagde ze.

'Jij kent het geheim van de eeuwige jeugd, moeder,' zei Lupo met zijn gezicht in haar hals. 'Maak jij je nu maar geen zorgen. Jij wordt nooit oud.'

Was het maar waar, dacht Agrippina. 's Avonds zat ze voor de spiegel en stak haar vlechten op zoals de Allesplakker graag gezien had.

Ze begon een groot enthousiasme voor de bibliotheek aan de dag te leggen. Ze las zich half scheel. Cleopatra had het klimmen der jaren gezocht te bestrijden met ezelinnemelk, Johanna van Beieren met de valkenjacht en Catharina de Grote met heilzame drankjes. Agrippina koos voorlopig voor die laatste methode. Met rode wangen las ze over gepureerde brandnetels. Lupo ervoer een verrukkelijk gevoel van symbiose als ze zo naast hem met haar neus in de boeken zat. En thuis wachtten het knobbelvrouwtje en het scharminkelkindje dat met een hazelip geboren was en blauw van bleekheid zag. Nu had hij er drie helemaal voor zichzelf. 's Nachts sloop hij door het huis om in het duister hun ademhaling te beluisteren. De prachtigste gedichten welden in hem op.

Zijn Ode Aan de Schoonheid werd gepubliceerd. Zijn Jouw Benen Mis Ik Nimmer werd gepubliceerd. Zijn O Zoete Walm van Luierlucht werd gepubliceerd. Zijn Als Zijde Zijn Moeders Armen werd gepubliceerd. Al spoedig kwam de pers op hem af. Helse polemieken braken hierna over Lupo's hoofd los.

'Een ontroerend antwoord op de vraag: Kan men lelijkheid beminnen? Meeslepend overtuigt de dichter L. ons in een hartstochtelijk pleidooi van de mogelijkheid, het onvolmaakte lief te hebben,' juichte de ene krant. De volgende brulde: 'In de vorm van zeldzaam onbeschaamde edelkitsch worden hier de zwaksten en meest kwetsbaren onder ons bespot. Met wurgende ironie wordt het heiligste sentiment vermorzeld: de liefde. Deze bundel is één weerzinwekkende schreeuw van minachting en haat.' De uitgever liet een nieuwe oplage van tienduizend exemplaren drukken met op de omslag een foto van Lupo's drie muzen. Hij was binnen een maand uitverkocht.

'Je hebt nooit meer tijd voor ons,' zei Agrippina toen ze op een zondagmiddag door het park wandelden. Ze droegen allevier een nieuwe, dikke winterjas en ze hadden brood bij zich voor de eenden.

Schuldbewust zei Lupo: 'Er zijn ook zoveel mensen die een beroep op me doen. Kon ik er maar aan ontsnappen. Konden we maar een paar dagen op vakantie. Dat zou ook goed zijn voor de kleine.' Hij nam het kind uit de armen van zijn vrouw. Het was zo teer en doorschijnend als een glazen libelle. Het haalde moeilijk adem. Het had een grote gele snor van snot. Kurkdroog was het mondje met het gespleten verhemelte.

Lupo droeg zijn kind, duwde zijn vrouw en ondersteunde zijn moeder, allemaal gelijktijdig. Hij voelde zich een rots van Gibraltar. In de verte kwaakten zelfs de eenden om hem.

Plotseling werd er geroepen: 'Daar gaat die leipe gast met z'n zooitje halfgare invaliden.' Passerende huisgezinnen stonden stil en verrekten hun nek. Ze herkenden Lupo als god en als duivel der publiciteit. 'Laat-ie voor dat wijf een paar kunstpoten kopen!' gilde iemand onmiddellijk. 'Dat laat z'n ouwe moer in afgedankte kinderkleren rondlopen,' meldde een ander. 'En hebbie soms geen duiten om dat wicht naar de smoelensmid te sturen?' beschuldigde de volgende. Het volk dook van alle kanten op en omkolkte Lupo en de zijnen aan de rand van de vijver. Voor- en tegenstanders begonnen aan zijn kleren te rukken.

'Voor mij is het een heilige!'

'Gore lijkenpikker!'

'Had je zelf maar een zoon die zoveel van je hield!'

'Vreten van andermans ongeluk!'

'Hij is liefde, hij is liefde!'

Lupo werd losgescheurd van zijn vrouw en zijn moeder. Zijn kind omknellend tolde hij door de massa, heen en weer geduwd, in het gezicht gespuugd en omhelsd. Agrippina werd onder de voet gelopen en in het natte gras neergesmeten.

De rolstoel raakte op drift. Vaart vermeerderend sukkelde hij van de steile wallekant. En terwijl de menigte Lupo zowat in repen scheurde van aanhankelijkheid en haat, gleed zijn knobbelvrouwtje naar de vijver en kiepte voorover het water in. De eenden stoven snebbelend terzijde. Haar nieuwe dikke winterjas was in een oogwenk loodzwaar. Ze zonk als een baksteen, zonder dat iemand het merkte. De vijver was zo ondiep, dat iemand met een normaal postuur zelfs in het midden nog kon staan.

Lupo zat nog op de EHBO-post van het ziekenhuis om zijn oor te laten hechten dat iemand van zijn hoofd had willen trekken, toen hem al werd medegedeeld dat een actiegroep een aanklacht wegens doodslag tegen hem had ingediend: door het knobbelvrouwtje benen te onthouden, was hij oorzakelijk schuldig aan haar verdrinkingsdood.

Hij moest zijn kind met gebroken ribjes in het ziekenhuis achterlaten. Agrippina had alleen haar enkel verstuikt en mocht in de thans vacante rolstoel mee naar huis. De hele avond zaten ze in het aardedonker, niet bij machte een woord uit te brengen.

De officier van justitie was toevallig een fan van Lupo. Hij was bereid de zaak te seponeren. 'Ik hield van haar zoals ze was,' noteerde de stenograaf. 'Men hoeft toch geen benen te hebben om bemind te worden?'

Van het bureau van de officier liet Lupo zich in een geblindeerde taxi naar het ziekenhuis vervoeren. Hij huilde de hele rit. Hij huilde om zijn eigen onvermogen. Hij huilde omdat hij gefaald had in het enige waarin hij dacht goed te zijn: hij huilde van schaamte omdat zijn liefde zelfzuchtig was geweest. Half idioot van schuldgevoel snoot hij zijn neus.

Hij ging aan het bedje van zijn kind zitten. Het lag te janken van de pijn. Het lag te piepen van de pijn. In een moment van onbarmhartige luciditeit besefte Lupo dat hij het zelf de ribjes stukgeknepen moest hebben in de hysterische menigte.

'Het is geen erg sterk kindje,' zei de verpleegster hoofdschuddend. 'Waarom hebt u niet eerder naar die longetjes laten kijken? In deze verwaarloosde conditie kunnen we het natuurlijk niet opereren.'

Omdat, dacht Lupo gebroken, ik er van hield zoals 't was. Zo blauw als 't was. Men hoefde toch geen krachtige longen en een gaaf gezicht te hebben om bemind te worden?

'Het zal een heleboel operaties vergen om dat kleintje weer op te lappen. En dan blijft het nog de vraag wat je ervan kunt verwachten,' zei de verpleegster. Ze sloeg de deur achter zich dicht om minestronesoep te gaan eten in de kantine en verder te bladeren in haar nieuwe fotoroman waarin louter mooie mensen een rol speelden.

Lupo overdacht het lijden dat zijn kind voor de boeg had. Radeloze liefde sneed hem de adem af. Hij kuste de blauwe wangetjes. Hij kuste het gapende mondje. Hij sloot zijn handen om het nekje. Hij kneep. Hij kneep totdat hij het voelde knappen. Het knapte. Hij had het zijn liefde bewezen. Sereen vertrok hij om het zijn moeder te gaan vertellen.

Een uur later werd Agrippina in de hal van het ziekenhuis onderschept met het nog warme lichaampje onder haar jas. Haar ogen schitterden en haar wangen gloeiden.

'Die arme vrouw is gek van verdriet geworden toen ze haar kleinkind dood in het bedje vond,' zeiden de artsen meelevend. 'Ze hallucineert. Ze heeft visioenen. Ze fantaseert. Ze plaagt zichzelf met het verschrikkelijke fantoom dat ze z'n bloed wilde drinken.'

'Zeker wilde ik dat!' gilde Agrippina. 'Niks geen fantasie! Daar verwerf je de eeuwige jeugd mee! Dat wisten de oude Romeinen al: warm kinderbloed verjongt.'

'Ze ijlt,' zeiden de artsen en spoten haar bewusteloos.

'Mijn moeder heeft hier niets mee te maken!' brulde Lupo. 'Ik heb mijn kindje vermoord, ik! Met deze handen heb ik het uit z'n lijden geholpen! Sla me maar in de boeien!'

'Hij ijlt,' zeiden de artsen en spoten hem bewusteloos. 'Het moet de schok zijn. Ze hebben binnen achtenveertig uur twee dierbaren verloren. Ieder normaal mens zou daarvan van streek raken.'

Ze vonden het een loeiend interessant geval, de artsen. Ze waren gek op frisse waandenkbeelden. Ze waren er verrukt over dat Lupo en Agrippina weigerden, hun wanen op te geven: zo werd bewezen dat de menselijke geest het niet zonder psychiatrische zorg kon stellen. Een van hen promoveerde zelfs op deze boeiende casus. Zijn proefschrift was getiteld: 'De waan als gevolg van zelf-opgelegde schuld.' Hij kreeg er alle tijd voor, want Lupo en Agrippina werden een eeuwigheid in een inrichting opgesloten. Het was dus een wonder dat hij er nooit meer van begreep.

De voorbereidingen vergden de hele middag – er moest nog heel wat gebeuren.

Opnieuw nam Lupo het geweer van zijn schouder. Dit keer was het moeilijker, veel moeilijker. Want de zwaan zat niet stil, zoals wijlen Evertje Polder gedaan had. Hij spetterde met veel misbaar in het rond, hij bolde zijn vlerken, strekte zijn hals en snaterde Lupo de oren van het hoofd. In het riet keek het wijfje op haar nest met felle kraalogen toe. In haar witte keel trilde en mompelde het.

Lupo keek door zijn vizier en aanschouwde het Al. Roerloos was de rivier. Hij ervoer het paradijsgevoel, een te zijn met alles, alles te doorgronden. Nu kon hij eindelijk de kleur van water beschrijven en de textuur van de lucht die hij inademde. Op de drempel van grote wijsheid haakte hij zijn vinger om de trekker.

Op de dijk rilde Laurie van bewondering. Een echte man, dacht ze. Beter in daden dan in woorden. Hij vraagt niet, hij neemt: vrouwen, gevogelte, alles. Max zou op zijn neus kijken van zo'n rivaal.

Lupo draaide zich naar haar om. Er plakten een paar dunne haarslierten tegen zijn glimmende schedel. Zijn brilleglazen waren beslagen. 'Wat stom van me,' zei hij. 'Ik had beter kunnen wachten tot ie dichterbij was. Nu moet ik het water in om hem te halen.'

De dode zwaan was op een dwaze manier gekapseisd en zag eruit alsof hij spoedig zou zinken. Hij dreef midden in de rivier. Het was er te diep om te staan. Lupo liet zich op zijn borst vallen en begon krampachtig te zwemmen. Zijn kleren hinderden hem. Maar hij had zich toch moeilijk onder Lauries ogen kunnen ontkleden, net nu ze zelf haar knopen weer dicht had. Hij kreeg een slok water binnen en hoestte. Myriaden microben stortten door zijn slokdarm naar binnen en sloegen als razenden aan het vermeerderen. Kuchend en snuivend trapte Lupo water, terwijl zijn darmflora afgebroken werd en vreemde woekeringen tot wasdom kwamen. Hij werd hierdoor zo in beslag genomen dat hij de zwaan niet zag naderen. Ze doorkliefde het water tot bij haar vermoorde partner. Ze weende niet, ze klaagde niet, ze waakte.

Bijna barstend van de ziektekiemen en de adrenaline werd Lupo haar eindelijk gewaar. Hoe nietig was zijn uit het water oprijzende hoofd in vergelijking met haar kolossale bootheid. Spartelend beloerde hij haar moeiteloze gedrijf. Maar ze beet niet, ze blies niet, ze waakte slechts. Heldenmoed deed Lupo besluiten de laatste meters af te leggen. Hij strekte een arm naar de dode vogel uit. Meteen verhief het wijfje zich in haar indrukwekkende lengte, breedte en hoogte om met haar wieken te klepperen. Lupo deinsde achteruit. Ze schudde haar veren en zakte in het water terug.

Zo hield men zich enige tijd drijvende. Toen graaide Lupo naar een levenloze vlerk en zwom voor zijn leven. Krijsend en blaffend zette de zwaan de achtervolging in. Als een engel der wrake spreidde ze haar vleugels en beet Lupo loepzuiver in z'n kale kop. Het lijk voor zich uit duwend en stompend, het eigen vege lijf beschermend en verblind door de spatten op zijn bril, zag Laurie hem meter voor meter vorderen. Ze hield op met gillen en stormde te water om hem te assisteren, te redden, misschien. De verraderlijke bodemcombinatie van slik en kiezels deed haar vrijwel meteen kopje onder gaan. 'Help,' schreeuwde ze, in paniek om zich heen wiekend. Ze hoorde snavels kleppen en gewrichten kraken. Een wolkenkrabber van water opwerpend bereikte ze Lupo. Ze ging aan zijn arm hangen zodat de zwaan onbelemmerd een nieuwe charge kon uitvoeren.

Lupo liet zijn prooi los, hij schudde Laurie af, hij verstopte zijn hoofd in zijn armen en kopte met een doffe klap op de zwaan in. Het klonk niet als iets dat hij ooit eerder gehoord had. De zwaan, voor een moment versuft, zakte zonder gratie in het water. Mens en dier bij elkaar grabbelend ging Lupo op de oever aan. O waterkant, o vogelstand, o nimmer eindigende zomerdag! Alsof de duivel zelve hen op de hielen zat, zo renden ze de dijk af, braken dwars door de bosjes en kwamen hijgend tot zichzelf bij de wal waar Evertje Polder lag, zo levensecht en karakteristiek van houding dat Lupo één moment verwachtte dat ze haar morsige kop zou heffen en zou gaan kwijlen van vreugde.

'Het is wel een oogst voor één dag,' zei Laurie lacherig. Nu het gevaar geweken was, was ze verrukt over het avontuur. Ze kon haast niet wachten om Max te vertellen hoe Lupo zijn leven gewaagd had om haar tegen een rabiate zwaan te beschermen.

Lupo schudde de dode vogel, die lomp en zwaar was. Hij dacht aan het sierlijke wijfje op het water. 'Als een tijgerin,' zei hij vol bewondering, 'als een tijgerin.'

De voorbereidingen vergden de hele middag – er moest nog heel wat gebeuren.

Ebbe en Biba gingen en kwamen, gingen en kwamen, totdat er geen pot, geen vaas, geen emmer en geen schaal meer zonder bloemen was. Biba bukte en plukte en sjouwde en Ebbe kwebbelde. Dat ze voor twee praatte, legde ze soms uit, of eigenlijk voor drie: iemand moest het doen.

'Houd je muil, Ebbe,' zei Biba, 'ik raak de tel kwijt.' Ze zat in het gras en vlocht kransjes van madelieven voor haar huisgenoten. Iedere krans moest evenveel madelieven bevatten. Biba had een zeer strikt gevoel voor rechtvaardigheid.

'Maar het is niet logisch,' zei Ebbe die in de schaduw van een vlier tussen haar tenen zat te pulken. 'Wibbe heeft toch een veel dikkere harses dan Mar? Waar zijn fontanel nog niet eens mee omspannen is, hangt Mar al op d'r neus. Denk nou eens wetenschappelijk.'

Biba zweeg. Ze was geheel in amorfe Biba-gedachten verzonken, die als ongrijpbare schimmen door haar hoofd spookten. Omdat ze niet genoeg praatte, zei Ebbe altijd, kon ze ook niet helder nadenken. Ze had te weinig woorden tot haar beschikking om haar eigen emoties en gedachten te duiden. Ebbe kon zich daar vreselijk bezorgd over maken. Soms stompte ze haar zuster midden in de nacht wakker. 'Je droom!' eiste ze dan sissend. 'Verwoord je droom! Oefenen!'

Maar Biba's droomthematiek was alledaags: wasketels, schoenborstels en afdruiprekken vulden haar onderbewustzijn tot in de REM-periode. Er viel met de beste wil van de wereld geen symboliek uit te halen. Als ik eerder doodga, dacht Ebbe soms, is ze verloren.

Biba dacht hetzelfde als ze haar zusters knopen aannaaide, haar fietsband plakte en haar bad aanzette. 'O Biba!' gilde Ebbe. 'Nou heb ik een tampon ingedaan zonder de oude eruit te halen. Ik kan niet meer bij het touwtje.' Dan voelde Biba met zeephanden het hele binnenste van haar zuster af en ontstopte haar net zo bekwaam als ze de wastafelafvoer ontkurkte wanneer die dichtgekoekt zat met Ebbes haren.

'Vergeten we niet iets?' zei Biba, haar onvruchtbare denkwerk stakend. 'Ik heb alsmaar het gevoel dat we nog iets moeten doen.'

'Ja,' zei Ebbe, 'Marrie. Van haar kun je niet verwachten dat ze zelf iets voor Sterre bedenkt. Maar ik heb overal aan gedacht.'

Ze vonden Mar achterin de tuin, vastgebonden aan de dode eik die Wibbe nog steeds niet omgehakt had. Ze zag nogal blauw en haar hals en armen waren geribbeld van het dikke touw. Er was sprake van belachelijk veel touw voor zo'n klein meisje. De twee lamstralige jongetjes waren nergens te bekennen. Als Mar een hond was, verzuchtte Ebbe terwijl ze haar loswikkelde, zou ze zelfs de hand van de inbreker nog likken. Ze was hopelozer dan Evertje Polder, dat toonbeeld van vriendelijkheid en vertrouwen. Hijgend en beurs zei Mar met grote opgewektheid: 'Ik speel.'

'Je speelt nu met ons,' beval Ebbe. 'Eerst gaan we kappertje spelen. Waar is mijn schaar?'

'De mijne zal je bedoelen. Je hebt hem mij gegeven in ruil voor jouw beurt om aardappelen te schillen,' riep Biba uit.

'Als we zo doorgaan,' zei Ebbe praktisch, 'hou ik niks over om weg te geven. Het is toch te lullig dat jij mijn werkjes zou moeten doen zonder beloning? Je krijgt die schaar wel een andere keer.'

Toen ze kibbelend met de schaar terugkwamen, zat Mar met Bo op de veranda. Ze gaven elkaar om beurten kopjes en sponnen en knorden om het hardst. Het was bijna niet te zien waar het meisje ophield en de kat begon. 'Mar heeft het veel te druk met van de dingen te houden,' zei Biba treurig. 'Mar is een engel van liefde,' zei Ebbe somber. 'Zelfs de wespen halen het niet in hun hoofd om haar te steken. Als je maar simpel bent, is het geen kunst om door iedereen lief en aardig gevonden te worden. Interessante persoonlijkheden zoals wij zijn daar te gecompliceerd voor. Kom eens hier, gelukskind. Als we je hier buiten knippen, hoeven we tenminste niets op te ruimen.'

Bo nam blazend de wijk en ging op veilige afstand met ronde ogen zitten bekijken hoe Ebbe zonder dralen maar met weinig talent de schaar hanteerde. Een voor een vielen Mars lokken. 'Mm,' deed Biba. Ebbe bekeek de kaalslag. 'Zo moet het maar,' zei ze ongeduldig. 'Het gaat tenslotte om het idee. Ze begint al aardig op een jongetje te lijken.'

'O,' zei Biba.

'O,' loeide Mar. Ze voelde verbaasd aan haar plukjes. Ze zag er opmerkelijk uit. Maar dat kwam natuurlijk door die malle Rie Cramer-kleertjes waarmee Agrippina haar altijd sentimenteel uitdoste. Gelijkmoedig liet het kind zich door de meisjes naar hun hol slepen en een geruit overhemd aantrekken.

'Het is makkelijker om van een jongetje een meisje te maken. Die hoef je alleen maar een rokje aan te trekken en lippenstift op te doen,' zei Ebbe die al haar inspiratie voelde vervliegen bij de aanblik van die geplukte kip in die reusachtige ruiten. Zonder veel hoop knipte ze het hemd af en halveerde ze de mouwen. Nu had de geplukte kip een verknipt overhemd aan.

'Dat was mijn bloes,' zei Biba. Ze duwde haar zuster opzij en ging in de weer met veiligheidsspelden. Ze verrichtte wonderen met een oude bermuda van Sterre, een petje van Wibbe en een paar bretels van Lupo. Pas toen Mar bijna niet meer van een echt jongetje te onderscheiden was, vroeg ze: 'Waarom doen we dit eigenlijk, Ebbe?'

Voordat ze antwoord gaf, voegde Ebbe nog een prachtig detail toe: met een oranje viltstift tekende ze een enorme snor met krullende punten op Mars gezicht. Toen zei ze: 'Omdat het volgens Sterre leuker is om een jongetje te zijn.' Dat was de enige aanwijzing die Sterre ooit gegeven had.

———————

Zo was het destijds verder gegaan:

Biba roeide. Naast haar op het bankje zat Ebbe met de andere spaan te niksen. Tegenover hen zat Sterre systematisch de picknickmand leeg te eten. Ebbe hoopte dat er tenminste een kippepootje voor haar zou overblijven. Biba, die haar gedachten kon lezen, stompte haar in haar zij. Ze roeiden. Sterre slikte de laatste kruimel door. Ze zei: 'Het gaat niet zo goed met me.'

'Ben je misselijk?' vroeg Ebbe die dat persoonlijk na drie complete maaltijden ook zou zijn.

'Ik vind mezelf niet leuk meer,' zei Sterre.

'Maar wij wel, hè Ebbe?' riep Biba vurig.

'Misschien moet je even op dieet gaan en je haar weer een beetje laten groeien,' probeerde Ebbe. Ze kreeg opnieuw een por en verloor ogenblikkelijk haar geduld. 'Als je weer gewoon op ons zou lijken, zou je jezelf wél leuk vinden. Waarom moet je zo nodig anders zijn?'

'Ze schreeuwt alleen maar omdat ze zo bezorgd is,' pleitte Biba.

'We horen toch bij elkaar?' riep Ebbe verhit. 'Ben je soms vergeten dat we vroeger een geheime taal hadden die niemand kon verstaan? Ben je soms vergeten dat we altijd tegelijk ziek waren? Ben je soms vergeten…'

'Hou je grote bek, Ebbe,' schreeuwde Biba.

Ebbe snoof. Nu trok ze met zoveel woestheid aan haar roeispaan, dat het bootje als een bromtol om zijn as draaide.

'We horen echt bij elkaar,' bezwoer Biba.

Sterre keek over het water. Vroeger wel, dacht ze. Voordat de walgelijkheid bezit van haar nam. Sinds de walgelijkheid in haar was, kon ze niet meer gekend zijn, al wilde ze nog zo graag. Alleen door het bestaan ervan te verbergen, kon ze voorkomen dat het onzegbare vat op haar zusters zou krijgen. Ze moesten ophouden met telkens hardop te zeggen dat ze bij haar hoorden, dat ze hetzelfde waren als zij. Met pijn en moeite zocht ze afwerende woorden bij elkaar: 'Biba was altijd de oudste en de liefste en de handigste. Ebbe was de jongste en de slimste en de grappigste. En Sterre was de middelste. Ze waren alledrie heel verschillend. Ebbe kon denken en Biba kon doen. Sterre was weer heel anders.'

'Maar jij kan het beste voelen,' zei Ebbe. 'Daarom passen we zo goed bij elkaar. Met z'n drieën hebben we alles in huis wat een mens maar nodig heeft.'

'Een beetje stom zitten voelen!' riep Sterre uit. 'En maar voelen en maar voelen! Als ik niet zo mooi kon voelen, had ik nooit gemerkt dat er iets walgelijks in me zat! Als je het voelt, kan het bezit van je nemen!'

'Wat zit er dan in je?' vroeg Biba met angstogen.

Geschrokken kneep Sterre haar benen samen. Ze moest haar verschrikking in zichzelf opgesloten houden.

'Het kan jou helemaal niet bommen hoeveel verdriet je ons doet,' zei Ebbe, haar gezicht spits van gekwetstheid. Ze hield eindelijk op met haar geruk aan de ene riem. Het bootje begon stuurloos in de richting van het riet te schommelen.

'Zeg het nou, Sterre,' jammerde Biba.

Misschien, dacht Sterre ineens, bestond er alleen gevaar als zij zelf de aandacht op de walgelijkheid vestigde. Misschien gold het niet als haar zusters erachter kwamen. Misschien mocht ze hen wel een aanwijzing geven. Ze wilde het zo graag. Ze wilde zo graag dat ze van haar hellevuren wisten en dat ze wisten dat ze moest zwijgen om hen te redden. Kon ze het maar vernietigen, vernietigen. Ze deed er heel lang over om haar aanwijzing te formuleren. Ze zei: 'Ik wou dat ik een jongen was.'

De voorbereidingen vergden de hele middag – er moest nog heel wat gebeuren. Maar Agrippina vergat op slag het feest toen ze het nieuws over Evertje Polder vernam. Ze liet zich in haar stoel vallen en begon mechanisch te schommelen. 'Dóód?' zei ze. Nu was Lupo eveneens verbluft. 'Je wou het toch zelf?'

'Hoe kom je daar nu bij?' schreeuwde Agrippina.

'Maar je zei, moeder, je vroeg het zelf.'

Van spierwit werd Agrippina vuurrood. Ze sloeg op de stoelleuning. 'Wat ben je toch een onnozele hals! Ik bedoelde haar! Ik bedoelde dat ik haar niet langer verdroeg!'

Ze keken allebei naar Laurie die meteen haar handen wrong en schuldig met haar voeten begon te schuifelen.

'Maar ik kan toch niet een méns doodschieten omdat haar gezicht je niet aanstaat?' vroeg Lupo verlamd. Ze wordt met de dag erger, dacht hij.

'Ik heb met geen woord over schieten gerept,' schreeuwde Agrippina. De onomkeerbare ontzettendheid van de situatie daagde haar. 'Mijn kleine Evertje Polder, mijn arme Evertje Polder,' riep ze.

'Ze was erg oud, moeder. Ze moest uit haar lijden geholpen worden,' stamelde Lupo.

Bevend van de kwade zin verrees Agrippina. 'Oud!' gilde ze. 'Het zou me wat moois worden als alles wat oud was maar uitgeroeid moest worden! Straks haal je je nog in je hoofd dat je mij uit m'n lijden moet helpen!'

'Toe nou moeder,' zei Lupo. Hij probeerde een arm om haar heen te slaan maar kreeg de kans niet. 'Moordenaar! Blijf met je bloederige klauwen van me af!' schreeuwde Agrippina. Toen kreeg ze Laurie weer in het vizier. 'En jij lazert ook op! Onmiddellijk! Misbruik maken van m'n gastvrijheid! M'n vriendin laten vermoorden! M'n Evertje Polder!'

'Het is een misverstand,' bracht Laurie uit. Maar met geen honderd verontschuldigingen was Evertje Polder nog tot leven te wekken.

'Het is echt het beste zo. Als je eenmaal aan het idee gewend bent,' probeerde Lupo opnieuw.

Agrippina greep een steelpan van het aanrecht en wierp hem

zonder oponthoud naar zijn hoofd. Het knerpte en Lupo zag andermaal sterren. Hij moest inmiddels een hersenschudding hebben. Hij diende een uur in het donker te liggen met koude theezakjes op z'n ogen. Hij kreunde.

'We hebben een zwaan voor u geschoten, voor het avondeten,' zei Laurie bij wijze van troost.

'Dat mens is gek,' hijgde Agrippina. Ze keek troebel om zich heen. Lupo wachtte niet tot ze een nieuw projectiel gevonden had. Hij ging er met zijn dode zwaan vandoor, Laurie aan haar arm meesleurend.

Agrippina's afdruiprek sloeg rinkelend tegen de hor. 'Stommeling!' riep ze, het in de hoek trappend. 'Stommeling!'

Ze ging aan de ontbijttafel zitten en sloeg haar handen voor haar gezicht. Ze bleef wel een uur zo zitten, zonder zich te verroeren. Maar het hielp niet. De werkelijkheid zou doorgaan te bestaan, zelfs als ze in bed kroop en de dekens over haar hoofd trok. Lupo zou zeggen: 'Al wat verandert is onwerkelijk. De werkelijkheid is eeuwig en verandert nooit. Boeddha.'

Agrippina nam haar handen voor haar ogen weg en loosde een zucht, zo lang als haar leven. Ze zag Lupo weer voor zich staan met zijn onheilsboodschap en zijn dode zwaan. Zijn dode zwaan. Lieve help, dacht Agrippina, die gek zal mijn nestelzwaan toch niet hebben doodgeschoten? Wat moest er dan van haar kuikens worden? Evertje Polder zou begrijpen dat dit niet het moment was om werkeloos in rouw en verdriet ondergedompeld te zijn. Evertje Polder was er zelf ook altijd een van daden geweest.

Agrippina trok haar kaplaarzen aan en begaf zich naar de rivier. Zonder haar vertrouwde gezelschap leek de weg wel twee keer zo lang. Halverwege werd ze zo duizelig van de hitte dat ze in de berm moest gaan zitten. De wereld tolde om haar heen, de rivier rees als een watermuur verticaal omhoog, de lucht werd donkerpaars. Het moest de emotie zijn, dacht Agrippina, met gesloten ogen afwachtend tot de schepping weer op orde zou zijn. Ze kon de jakhalzen al horen huilen.

Het waren de kinderen van Laurie die Mar langs de waterkant joegen, onderwijl met zwiepende wilgetakken naar haar spillebenen slaand. Het zong en klapte.

'Opgepast!' riep Agrippina, die zichzelf al vertrapt zag.

'We hadden u niet gezien,' zei de oudste beleefd, terwijl hij vlak bij haar hoofd halt hield.

'Waarom ligt u in het gras?' vroeg de jongste.

'Ik neem een zonnebad,' zei Agrippina waardig.

'Dan doet mijn moeder haar kleren altijd uit,' zei de jongste.

'Goddank ben ik jullie moeder niet. Ze is niet goed snik.'

Dit vonden de jongetjes nog eens een grappige opmerking. Ze lachten zo hard dat de rivier er weer scheef van ging staan en de boterbloemen van kleur verschoten. Aan de einder verschenen vliegende vissen. Het was maar goed dat ze vitaal genoeg was om zich aan alle omstandigheden aan te passen. Haar kregen ze niet klein. Zelfs Marries buitensporige verschijning bracht haar niet van de wijs. Ze begreep het, welzeker: men probeerde haar zinnen te begoochelen. Het was een komplot. Als ze melding maakte van wat ze zag, zou iedereen zeggen: 'Arme Agrippina. We moeten haar maar snel uit haar lijden helpen.'

Ik trap er niet in, dacht Agrippina. Ze zou niet laten merken dat ze iets opmerkelijks aan Mar zag. Nu ze Evertje Polder niet meer had, was het misschien wel een goed idee, om zich wat meer met het kind te bemoeien. Veel verschil zou het niet maken. Ze zag Mar al zoet naast haar op het keukentrapje zitten, luisterend naar haar verhalen, precies zoals die onbetaalbare Evertje Polder altijd gedaan had.

'Ga je met me mee, Marrie?' vroeg ze.

'Nee. Ik speel,' zei Mar, haar toegetakelde ronde hoofd in aanbidding naar de jongetjes wendend.

Agrippina stond gewoon paf. Evertje Polder had haar nooit, nooit tegengesproken. Haar verlies werd haar in z'n volle omvang duidelijk. Ze kon wel huilen.

'Mogen wij mee?' vroeg de oudste.

Lupo zou zeggen: 'Nodig de eenzaamheid uit tot een gesprek en zij zal ver van u vluchten. Krishnamurti.'

Bovendien kon ze best enige hulp gebruiken. 'Vooruit dan maar,' zei ze. Als ze liep werd de horizon misschien weer plat.

De zwaan zat niet op haar nest. Ze cirkelde midden op de rivier rond en slaakte kelige kreten. Lupo moest de woerd geschoten hebben. Hoe helder was haar hoofd toch: ze besefte meteen dat de moeder er nooit in zou slagen haar nest tegelijkertijd warmte en voedsel te verschaffen. Het was zaak, de vaderloze kuikens snel te roven voordat ze een natuurlijke dood zouden sterven.

'We moeten die kleintjes uit hun lijden helpen,' zei Agrippina. Ze schetste tot in detail hun barre lot. De kinderen keken dubieus. 'Maar is dat hun moeder niet?' vroeg de oudste.

'Je ziet toch dat ze ze verstoten heeft? Dat gebeurt zo vaak,' zei Agrippina die haar geduld begon te verliezen. 'Kom, pak er allemaal een paar.'

Onder hun pluizige dons waren de jongen knokig en breekbaar. Wat zouden enkele dagen een verschil gemaakt hebben! Haastig dreef Agrippina de kinderen van de signaalrode dijk. 'Evertje Polder!' riep ze gewoontegetrouw.

Na honderd meter moest ze alweer langs het jaagpad gaan zitten. De lucht was bijna te dik om in te ademen. Eens te meer werd bewezen hoe belangrijk het was om jong en krachtig te blijven. Maar ze zou zich spoedig beter voelen.

'Gaan we ze in een doos doen?' vroeg de jongste.

'Wat moeten ze eten?' vroeg de oudste.

Agrippina bedwong de neiging om te gillen. Ze zei: 'Je kunt jonge eendjes niet in leven houden, dat is nog nooit een mens gelukt. Ik kan wel horen dat jullie stadskinderen zijn. We moeten ze uit hun lijden helpen, zoals ik al zei. Anders sterven ze een langzame, vreselijke dood.'

'Wat zielig,' zei de jongste.

'We kunnen het toch proberen?' zei de oudste.

Mar zei niets. Ze hield een enkel kuikentje tegen haar borst gedrukt. Zometeen kneep ze het nog fijn.

'Wat we zouden kunnen doen,' zei Agrippina listig, 'is een geheim bondgenootschap oprichten, dat in stilte goede daden doet, zoals verstoten diertjes een gruwelijk lijden besparen. We zullen zo geheim zijn dat niemand weet dat we bestaan. We verklappen nooit iets over onze goede daden. Aan geen levende ziel.'

'Zoals Robin Hood?' vroeg de oudste.

'Ja, maar dan geheimer,' zei Agrippina.

'Ik heb thuis onzichtbare inkt. Daarmee kunnen we u geheime brieven schrijven,' zei de jongste.

'Mij best,' zei Agrippina. Ze werd wat afgeleid door het feit dat haar benen ineens in een alarmerend tempo begonnen te groeien. Gelijk een paar brandslangen dat uitgerold wordt zag ze ze door het gras schieten, het pad over, het bos in. Hop, daar flitsten haar groene kaplaarzen onder de eerste rij struiken door.

'Dan moeten we een geheim verbond sluiten en dat met ons bloed ondertekenen!' riep de oudste.

'Wat zeg je?' mompelde Agrippina, haar hals rekkend om te zien waar haar voeten waren gebleven.

'We moeten elkaars bloed drinken, net als Winnetou en Old Shatterhand,' verduidelijkte de jongste.

'Juist,' zei Agrippina. Tot haar verbazing constateerde ze dat haar benen op slag tot hun normale lengte krompen. Ze wiebelde achterdochtig met haar tenen. Ze kikkerde helemaal op. 'Elkaars bloed drinken,' herhaalde ze.

'Dat durft u zeker niet hè?' grijnsde de oudste.

'Als dat bij een geheime club hoort, zal ik niet kinderachtig zijn,' verklaarde Agrippina. Ze begon te trillen. 'Het treft goed dat ik dit bij me heb,' zei ze en haalde het glimmende vleesmes uit haar schortezak. Die scharminkels van kuikens konden wel wachten. Ze greep de jongste bij zijn arm. Ze zette het mes op zijn pols. Het kakelde en pingpongde in haar oren.

'Kijk uit!' schreeuwde de oudste.

'Jawel!' schreeuwde Agrippina.

'Niet in zijn pols! Daar zit een slagader! Dan bloedt hij dood!'

Geschrokken trok de jongste zijn arm terug. Het mes schramde zijn vlees.

'Wat dom van me,' zei Agrippina bevend. Ze moest heel voorzichtig zijn.

'U bibbert helemaal. Vrouwen kunnen ook nergens tegen,' zei de oudste superieur. Hij nam het mes uit haar hand en prikte met een stoer gebaar in een van zijn vingertoppen. Toen ging hij een hele tijd zitten knijpen totdat er een minuscule bloeddruppel verscheen.

Tel je zegeningen nu maar, sprak Agrippina tot zichzelf. Ze greep de haar toegestoken kinderhand. Ze sloot haar lippen om de gekwetste vinger. Ze zoog uit alle macht. Het was hemels. Het was allesoverkoepelend. Het was allesomverwerpend. Het was veel te weinig.

Ze kon nauwelijks wachten tot de rituele handeling eveneens aan het andere kind voltrokken was. Inktzwart welde het bloed op uit zijn roomgele vinger. Ze had het nog niet doorgeslikt of ze voelde zich van top tot teen, integraal en compleet herboren. Het was mirakels. Het was grensverleggend. Het was ondenkbaar dat ze het hierbij zou laten.

'Nou die gek nog,' zei het ene kind.

'Hier met dat gekkenbloed,' zei het andere.

Maar Marrie was samen met haar kuiken verdwenen. Er was geen spoor van de beide voortvluchtigen te bekennen. De jongetjes schreeuwden van woede, maar Agrippina zei onbewogen: 'Wacht maar. Die krijg ik nog wel.'

De voorbereidingen vergden de hele middag – er moest nog heel wat gebeuren.

Lupo begroef Evertje Polder. Haar kadaver was door de hitte al van maden doorkropen en er heerste in en om haar een bedrijvigheid die ze zeker afgekeurd zou hebben. Lupo hoopte dat haar geest al vrij door het universum zweefde, op weg naar waar het beter was. Men mocht zijn doden niet bezitterig gedenken. Aldus dacht Lupo, terwijl hij ondertussen zijn heilwens repeteerde: je bent nu vrij, Evertje Polder, je kunt nu gaan.

Dat nam hem zo in beslag dat hij belangrijke delen miste van een lang verhaal van Laurie die tegenover hem op de aarden wal zat en luidkeels haar huwelijk met Max doornam. Ze sloeg geen minuut van hun samenzijn over. Ze beende hem tot op de vierkante centimeter uit. Ze liet geen spaander van hem heel. Ontgingen Lupo de feiten, wel drong tot hem door dat hijzelf een of andere rol in het geheel scheen te spelen. 'Pas toen ik jou zag, besefte ik wat ik miste,' zei ze. Het was buitengewoon onbegrijpelijk.

'Laurie,' zei Lupo, 'het duizelt me gewoon. Ik móét echt even alleen zijn.'

Hij begaf zich naar huis, sloeg de deur van zijn kokendhete caravan dicht, trok zich de klamme kleren van het lijf, joeg Bo van zijn bed en strekte zich kreunend uit. Op het moment dat zijn hoofd het kussen raakte, begreep hij het. Pas toen ik jou zag, besefte ik wat ik miste. Ze miste poëzie in haar leven, ze miste het vermogen om haar eigen man haar liefde te verklaren. 'Wel verdomme,' zei Lupo, verontwaardigd opverend. Er zat niets anders op dan haar te helpen, zoals hij dagelijks talloze anderen hielp. Zijn talent was een kruis.

Hij nam twee aspirines, een Rennie en een Alka Seltzer en sleepte zich naar het tuinhuis. De middaghitte was er doorgedrongen en het rook er benauwend naar papier. Lupo koos een vel gedistingeerd grijs en draaide het in de schrijfmachine. Hij wreef in zijn ogen. Hij diende voor een kant-en-klare liefdesverklaring te zorgen en die wellicht zelfs eigenhandig in Max' zak te doen belanden. Hij leefde er zowaar van op. Zo rechtstreeks verantwoordelijk zijn voor de gang van zaken was feitelijk de ultieme vervulling van zijn roeping.

Net likte hij de envelop dicht, toen Ebbe zonder kloppen binnenstormde. Ze was een en al frons en chagrijn en liet zich zwaar op de oude sofa neer. 'Ik haat iedereen,' verklaarde ze.

'Lieverd toch,' zei Lupo.

'En jij zult ook wel weer geen tijd voor me hebben. Jij hebt nooit tijd voor iemand. Weet je wat jouw probleem is, oom Lupo?' legde Ebbe ongevraagd uit. 'Jij bent net zo erg als Mar die de eerste de beste meikever net zo aardig vindt als de mensen met wie ze leeft. Jullie hebben je handen zo vol aan het leven, dat jullie naasten erdoor tekort komen. Toevallig hebben wij wel recht op een beetje meer aandacht dan die achterlijke brievenschrijvers van je of dat rare mens met wie je de hele middag hebt rondgezeuld.'

'Zij heeft ook problemen. Ik doe het niet voor mezelf,' zei Lupo bezeerd.

Met veel vertoon van lange ledematen begon Ebbe heen en weer te stampen. Honend riep ze: 'Problemen? Stel je niet aan, het is gewoon een misselijke trut. Weet je wat ze daarnet tegen me zei?'

Nee, dat kon Lupo niet raden.

'Dat ik een slet was,' brulde Ebbe. 'Dat stond ze me zomaar in m'n gezicht te vertellen! En waar ben jij als mijn eer beklad wordt? Dan zit je op de plee of achter je bureau!'

Ovidius: Voor de moed is geen weg onbegaanbaar, dacht Lupo. Dit was het moment om Ebbe eindelijk te wijzen op haar zedenverwildering zoals hij die 's ochtends geconstateerd had. Maar zei Montaigne niet: De moed heeft haar grenzen, evenals de andere deugden? Lupo besloot, ergo, het onderwerp nog maar even te laten rusten.

'Je kunt toch met Biba over zulke dingen praten?' was het enige wat hij kon bedenken.

'Die zit in bad. Die is zich al uren aan het optutten voor vanavond. Daar heb je ook niks aan.'

'Nou, dan is Agrippina er toch nog?'

'Agrippina! Die denkt alleen maar aan zichzelf. Je probeert je er vanaf te maken. Zometeen zeg je nog dat ik voortaan mijn hart maar bij Evertje Polder moet uitstorten.'

Lupo slikte, Lupo kuchte, Lupo zei: 'Evertje Polder is dood.'

Zonder ook maar stil te staan zei Ebbe: 'Dat heb jij zeker gedaan?'

Lupo kon alleen maar knikken.

Ebbe knipte met haar vingers. 'Dan zul je je nu wel eigenaardig voelen. Maar het was heel goed van je. Zoiets kan nodig zijn.'

Ze ijsbeerde verhit voort. 'Wat vind je daar nou van, dat zo'n mens dat zomaar tegen me zegt?' Toen stond ze eindelijk stil. 'O, oom Lupo! Ben je er beroerd van? Van Evertje Polder?'

Meteen hing ze al om z'n nek. Het was een heerlijk gevoel.

'Verheug je nou maar over de rust voor haar ouwe botten. Je moet niet de zielepiet gaan zitten uithangen, dat is egoïstisch.'

'Ik doe mijn best,' zei Lupo zwak. Hij benijdde haar. 'Hoe komt het toch dat jij je nooit schuldig voelt?'

Ze liet hem los en liep naar het raam. 'Je bent al net zo erg als die verdomde psychiaters,' zei ze. 'Jij zou toch beter moeten weten, oom Lupo. Het is toch gewoon een van de consequenties als je van iemand houdt?'

Haar blik viel op de dode zwaan die buiten in het gras lag. Kwaad draaide ze zich om. 'Je hebt hem nog niet eens schoongemaakt. Je vergeet je werk helemaal door dat gedoe met dat vreemde mens. Is het eigenlijk wel tot je doorgedrongen wat ze daarnet tegen me gezegd heeft?'

De voorbereidingen hadden de hele middag gevergd – er moest altijd heel wat gebeuren.

Toen ze aan de thee zaten uit te blazen, kwamen Max en Wibbe uit het dorp terug. Max wierp misprijzende blikken op Mars fabelachtige verschijning en op Bo die ongestoord zijn kop in de melkkan liet hangen.

'Dag pap,' zeiden de jongetjes.

Max nam plaats op de enige vrije stoel. 'De auto is morgenmiddag pas klaar. Net wat ik dacht: de spoorstang is verbogen,' zei hij. 'Neem jij mijn stoel maar, Wibbe,' zei Agrippina, zich demonstratief verheffend. Ze besloot Max geen thee aan te bieden.

'Wil je thee?' vroeg Ebbe.

'Leg hem maar lekker in de watten,' zei Laurie, die naast Lupo zat en onder de tafel stiekem zijn knie vasthield. Hij had heel andere knieën dan Max.

'U bent een naar mens,' vertelde Ebbe haar.

Biba, roze van haar warme bad, werd donkerroze. Ze schopte naar haar zuster, waarbij de kopjes op hun schoteltjes dansten.

'Stilzitten,' blafte Lupo. Het viel hem ineens op hoe erg ze afstaken tegen Max' keurige modelfamilie. Hij kon niet naar Marrie kijken zonder van binnen helemaal raar te worden.

'U hebt erg slechte manieren,' vervolgde Ebbe. Ze beboterde een plak koek en likte haar mes af. 'U komt hier ongenood binnenvallen en in plaats van dat u zich als gast gedraagt, bejegent u iedereen onheus.'

'Doe niet zo snibbig,' zei Lupo nerveus. Hij deed voor de tweede keer suiker in z'n thee.

'Denk aan je tanden,' mompelde Biba.

'Biba!' riep Lupo.

'Je hebt altijd iets op ons aan te merken,' zei Ebbe, scheel van kwaadheid.

'Dat heet opvoeden,' zei Lupo.

'Haha,' deed Ebbe koel.

'Haha!' herhaalde Mar met enorm veel geluid. Ze sloeg met haar vlakke handen op tafel en wipte op haar stoel.

'Hou je koest!' zei Agrippina die aan één blik op het kind genoeg had om het belang in te zien van een schijn van beschaafde normaalheid. Aan haar zouden ze niets merken. Ze hield haar opmerkelijke waarnemingen voor zich. Beheerst nam ze de theepot van de golvende tafel. 'Iemand nog?' vroeg ze met haar beste damesstem.

'Graag moeder,' zei Lupo verheugd. Als ze maar wou, kon ze zo charmant zijn. Hij wierp haar een liefdevolle glimlach toe.

'Je hebt nog,' zei Ebbe.

'Met twee keer suiker,' zei Biba.

'Haha,' brulde Mar sonoor.

Nu nam Max het woord weer. Met grote omstandigheid legde hij uit hoe hij in het dorp een onderkomen voor de nacht had gezocht. Het hotel bleek evenwel tot de nok toe gevuld met zomergasten en de beide pensionhoudsters hadden evenmin ruimte. Volgens de dienstregeling van het openbaar vervoer was de laatste bus om half vijf naar elders vertrokken. 'Het lijkt erop, dat u vannacht met ons opgescheept zit. Wibbe meende dat dat geen bezwaar zou zijn,' zei Max. Laurie kon haar oren niet geloven. Verder staarde iedereen woordeloos naar Wibbe. Wibbe meende? Wibbe meende! Wel heb je ooit!

Hij mocht niet ontmoedigd worden, dacht Lupo snel. Hij zei: 'U bent natuurlijk welkom. Dat was heel verstandig van je, Wibbe.'

Wibbe zei niets. Hij krabde waanzinnig in zijn baard.

'Blijven we?' schreeuwden de jongetjes.

'En ons feest dan?' schreeuwde Ebbe.

'We zullen u zo min mogelijk overlast bezorgen,' zei Max stijfjes. 'Wilt u ons beiden even excuseren?' Toen hij Laurie bij haar arm pakte, zag Lupo kans de brief in zijn zak te laten glijden. Alleen Agrippina bemerkte het, maar zij zag niets, zij zei niets, zij hoorde niets. Zelfs de grote groene kikker die ineens uit Max' oor kroop en bovenop zijn hoofd ging zitten kwaken, ontlokte haar geen kreet. Ze nam een wolkje melk en deed net alsof ze niet zag hoe lachwekkend zijn zwemvliezen boven Max' wenkbrauwen bungelden.

Max voerde Laurie min of meer met geweld naar buiten. Hij moest gezien hebben hoe Lupo naar haar keek, dacht ze blij. Ze voelde zich, nou ja, ze voelde zich in één woord geweldig.

Pas toen het huis helemaal uit het zicht verdwenen was, zei hij iets. Hij zei: 'Je raadt nooit waar we hier terecht zijn gekomen.'

'In het aards paradijs, wat jou betreft,' zei Laurie. Ze wist zeker dat ze alles durfde. Ze rukte zich los en begon nadrukkelijk haar arm te wrijven. 'De willige meisjes liggen hier voor het oprapen. Je zult je de rest van ons verblijf wel kostelijk amuseren. Nee, hou je mond, Max. Ik heb jou ook het een en ander te vertellen.'

'Je zult het niet geloven.'

'Jij mij ook niet. Het interesseert me niet of jij in dat achterlijke dorp twaalf nieuwe veroveringen gemaakt hebt,' zei Laurie uit de hoogte. Nu haar moment aanbrak, wist ze ineens niet meer hoe ze Max de feiten zou inpeperen. Ze barstte uit: 'Ik heb een verhouding met Lupo.'

Max keek haar aan. Ze zag wel een dozijn verschillende uitdrukkingen op zijn gezicht verschijnen. 'Met die kale?' vroeg hij ongelovig. Toen sloeg hij onbedaarlijk aan het schateren. Hij kwam zowat adem tekort. Ten slotte zei hij: 'Sorry schat.'

'Het is waar,' zei Laurie diep beledigd.

'Ja, maar een verhóúding,' riep Max. Zijn schouders begonnen opnieuw te schokken. 'Als jij het al een verhouding noemt als je een uurtje met een vreemde vent alleen bent en je laat kussen, dan heb ik de laatste jaren meer verhoudingen gehad dan echtelijke seks.'

'Het bleef niet bepaald bij kussen,' begon Laurie. Ze zweeg. Ze zei: 'Hoe bedoel je dat? Wat probeer je me te vertellen?'

'Jezus, Laurie, hang nou niet de onnozele maagd uit. Je zou toch niet willen dat ik je iedere scharrel opbiechtte? Wat heb je aan zulke eerlijkheid? Een keertje plat gaan heeft toch niets met je huwelijk te maken?'

Groot en knap en lachend stond hij voor haar. Ze kon hem wel op zijn arrogante gezicht slaan. 'Hoe lang is dit al gaande?' kraste ze.

'Godnogaantoe mens,' zei Max, 'er is helemaal niets gaande. Ik zie alleen geen reden waarom we elkaar met onze scharrels zouden vervelen.' Zijn gezicht kreeg weer de gebruikelijke geïrriteerde uitdrukking.

Laurie was werkelijk sprakeloos. Ze voelde zich van binnen helemaal beurs worden. Stelde haar huwelijk dan nog minder voor dan ze al vreesde?

'Allemaal onbetekenende intermezzo's,' zei Max.

Ze zoog zich helemaal vol lucht. 'Voor mij is dit geen onbetekenend intermezzo! Ik ga niet zomaar met iedereen naar bed!'

'Dat heb je dan ook vlot voor elkaar gekregen,' zei Max waarderend.

Hij vond het een plezierige gedachte dat andere kerels haar het hof maakten. Hij probeerde haar met nieuwe ogen te bezien. Ooit was ze natuurlijk mooi geweest, anders was hij nooit met haar getrouwd. Als er nu om haar geworven werd, kon dat alleen maar betekenen dat ze nog steeds aantrekkelijk moest zijn.

'Laten we het afzoenen,' zei hij, haar om haar middel vattend.

Hij leek nog wel niet door smart verscheurd, maar dit kwam toch dichter in de buurt van Lauries draaiboek. 'Ik moet er niet aan denken!' riep ze uit, een hand voor haar ogen slaand. 'Ik besef nu pas wat een lompe minnaar jij bent. Er zijn nieuwe dimensies voor me geopend.'

'Je kunt je nieuwe kunstjes allemaal demonstreren,' zei Max en kuste haar achter haar oor.

Het werd tijd voor de finale. 'Misschien moeten we maar gaan scheiden,' zei ze.

In plaats van haar onstuimig aan zijn borst te klemmen, liet hij haar los. 'Je bent niet goed bij je hoofd,' zei hij. 'Ik lijk wel gek dat ik serieus met je probeer te praten. Kom eerst maar eens tot jezelf, of wat daar voor doorgaat.'

'Jij zult wel weer bepalen hoe dit gesprek verloopt!' riep Laurie schril. 'Stel je voor dat ik niets meer had willen zeggen toen je me over die maîtresse van je, die del, vertelde!'

'Je had me een groot plezier gedaan als je toen inderdaad je bek gehouden had. Ik zat er niet op te wachten om daar bij herhaling tot drie uur 's nachts over doorgezaagd te worden. Ik heb je alleen maar over haar verteld omdat ik je leven wilde veraangenamen. Opdat jij niet hysterisch zou hoeven worden als ik eens een nacht wegbleef.'

'Heel attent,' zei Laurie. Ze was begonnen te huilen.

'En ik heb je nog uitdrukkelijk gezegd dat ik niet bij je weg zou gaan! We hebben verdomme een gezin! Ik heb een positie om aan te denken! We zijn nette mensen! We zijn een beschaafd gezin dat zulke dingen oplost zonder de vuile was buiten te hangen. Wij zijn niet zoals dat ongeregelde zooitje gekken hier!'

'Maar het is niet eerlijk!' riep Laurie uit die nu met volle uithalen huilde. Nooit ging er iets zoals zij het plande. Hij had gelijk: ze was volkomen ongeschikt voor het leven. 'Ik wil alleen maar een beetje liefde!' jammerde ze.

'Dat haal je dan maar buiten de deur,' blafte Max. 'Op liefde kun je geen bestaan bouwen. Wat je van mij kunt verwachten is fatsoen, een inkomen, een dak boven je hoofd en respect van je buren. Als je dat niet op z'n waarde weet te schatten, ben je een nog groter rund dan ik al dacht. Liefde! Wat koop je voor dat flauwe gezemel? Sentimentele versjes en rode rozen zijn niet de dingen waarop onze samenleving draait!'

'Nee Max,' fluisterde Laurie. Haar schouders hingen af.

Maar hij was nog niet met haar klaar. 'Je gaat je gang maar met die vent. Zolang je maar het verstand hebt, het discreet te doen. Als ik merk dat de kinderen iets van je onsmakelijkheden merken, zwaait er wat voor je. Ik probeer ze fatsoenlijk groot te brengen en normale normen bij te brengen. God weet dat ik daarbij al genoeg hinder heb van jouw halfzachte methodes.'

'Ja Max,' fluisterde Laurie. Hoe had ze ooit durven menen dat ze Max aankon? Hoe had ze zo vermetel kunnen zijn?

'En nog wat,' zei Max, zijn haar uit zijn ogen vegend, 'toon de volgende keer wat meer smaak en onderscheidingsvermogen bij het uitkiezen van je minnaars.'

Laurie hief haar hoofd. Ze kon het bijna niet geloven. Hoopvol vroeg ze: 'Ben je jaloers?'

Max begon weer te lachen, al klonk het anders dan zoëven. 'Als je me daarnet mijn verhaal had laten vertellen, had je je onthullingen vast liever voor je gehouden. Je raadt nooit wat ik vanmiddag allemaal van Wibbe gehoord heb. Die Lupo van je, die Agrippina, die meiden, het hele stel is stapelgek. Je logeert hier in een gesticht. Ze zijn wel niet gevaarlijk, zegt Wibbe, maar ze zijn beslist niet fris van boven. Net iets voor jou, Laurie: een psychopaat in je bed. Dat zal wel heel opwindend zijn.'

'Een gesticht? O Max, doe niet zo idioot. Waar zijn de hekken dan? En de bewakers? En de dokters?'

'Wibbe zegt,' begon Max, maar nu was het Lauries beurt om te lachen. 'Dat je daar ingetrapt bent! Als er hier iemand niet goed snik is, is het Wibbe. Je moest eens weten wat ze mij allemaal over Wibbe verteld hebben! Die arme, verwarde jongen. Je ziet toch zelf ook wel dat hij gestoord is? O Max! Je hebt je iets door een zielige gek op de mouw laten spelden! En je gelooft het omdat je het wilt geloven. Je wilt Lupo zwart maken.'

Ze voelde zich meteen een stuk beter, Laurie. Ze had goed gegokt, ze had de slag gewonnen: Max was radeloos van jaloezie. Ze raakte terstond vervuld van de prachtigste gevoelens. Ze vergat Agrippina's onaangenaamheden en Ebbes vrijpostige gedrag. Zalvend zei ze: 'Arme Max, wat mis jij veel. De ongecompliceerde manier waarop de mensen hier leven, is voor iemand met jouw fatsoensnormen natuurlijk ook een tikje buitenissig. Het is allemaal even puur en simpel en liefdevol. Maar zulke dingen zijn aan jou helaas niet besteed. Neem nou de manier waarop ze bezig zijn met dat feestje van die Sterre. Zo heerlijk spontaan en toegewijd, zo vol genegenheid. En zulke warmte noem jij krankzinnigheid?'

'Jawel,' zei Max op zijn gemak.

'Botterik,' zei Laurie verbluft.

'Want zie je,' zie Max, 'die Sterre is dood.'

'Laten we drinken op Sterre,' zei Lupo. De lange middag was eindelijk voorbij, maar zoals dat op zomerdagen gebeurt, liet hij zich niet verdrijven door de avond. Hij bleef gewoon hangen met evenveel licht en warmte, leek het wel, als rond het middaguur.

Zulke middagen duren tot het vallen van de nacht, net zoals er meisjes zijn die eeuwig jeugdig blijven en op een ochtend zonder overgang als stokoude vrouwen ontwaken.

'Ja, laten we dat doen. Daar ga je, Sterre,' zei Ebbe. Ze hief haar glas en keek de lange tafel langs. Alleen Max had geweigerd een van Biba's madelievenkransen te dragen. Die van Marrie hing, zoals voorspeld, op haar neus. Ze gluurde plechtig vanonder de klep van haar pet door haar brilletje. Zij was de enige die gaaf en compleet was, dacht Ebbe verward. De adem stokte in haar keel.

Automatisch nam Biba het van haar over. 'Proost,' zei ze, zich naar Sterres stoel draaiend. Aan de leuningen waren de vleugels van Lupo's zwaan bevestigd. Ze waren groot en machtig. Ze waren fonkelwit en schoon.

'Beginnen we met het toetje?' vroeg de oudste.

'Is er geen soep?' vroeg de jongste. Het was te zien dat ze keurig waren opgevoed en nooit de weg kwijt zouden raken tussen het tafelzilver.

'Op Sterres verjaardag eten we alleen taart,' zei Agrippina. Ze zette haar mes in de eerste van de feesttaarten. Ze had kunnen zweren dat ze er die ochtend zilveren sterren opgeplakt had, maar haar kregen ze niet klein. Het bloed golfde uit het opengekerfde gebak en spoelde over haar handen. Ze gaf geen krimp. Ze zag niets, ze zei niets, ze hoorde niets. Ze verdeelde de porties.

'Jullie boffen maar met die snoeperij,' zei Max tegen zijn zoons. Zijn manieren waren vlekkeloos, maar zijn stem was zwaar van afkeuring.

'Het is een groot voorrecht om hier aanwezig te mogen zijn,' zei Laurie hoofs. Een onbegrijpelijk gevoel van ontroering kneep haar keel dicht. Max kuchte gegeneerd. Laurie en haar sentimenten! Als je haar vroeg wat de belangrijkste gebeurtenis uit haar leven was, dan zei ze met suikerspin-ogen: 'Mijn trouwen.'

'Het is alleen niet de bedoeling dat u zoveel praat,' zei Ebbe afgemeten.

'Het is de bedoeling dat we aan Sterre denken,' zei Biba.

'Toe meisjes,' suste Lupo.

'Eén keer per jaar!' riep Ebbe met vlammende ogen. 'Is dat je al te veel moeite?'

'Hou je hoofd nou maar,' zei Biba, 'en stamp je vol met die prachttaart van Agrippina.'

Ebbe nam met moeite een hapje. 'Dank je wel voor al je werk, Agrippina,' zei ze met een on-Ebbeachtige stem. 'Ik wil graag met je delen.'

'En ik met jou, kind,' zei Agrippina. Ze legde haar vork neer en gaf haar bord aan Ebbe. Ebbe gaf haar het hare.

'Wil je met me delen, oom Lupo?' vroeg Biba. Ze stak hem haar taart toe.

De kaarsjes brandden onnut in het vreemde tussenlicht. De manden en vazen vol bloemen geurden. De rivier droeg de geheimzinnige geluiden aan die pas hoorbaar zijn als de dag verschiet.

Agrippina sneed de tweede taart aan. Aardewerk rinkelde.

'Wij delen samen, Marrie,' zei Ebbe.

'Samen?' vroeg Mar, haar ronde hoofd schuin. Ze liet zich van haar stoel zakken, nam haar bord in beide handen en droeg het met zorg rond de tafel. Ebbe trok haar bretels even recht. Ze gaf haar zuster een por.

'Met jou wil ik ook delen, Wibbe,' zei Biba. Ze schoof hem haar halve portie toe. 'Dankjewel,' zei Wibbe. Zijn bijdrage was geweest dat hij de tafel gedekt had. Ze waren allemaal reuze trots op hem. Een zoele bries streek langs de lampions. De eerste krekel liet zich horen. So soon to die. And no sign of it showing. Locust cry, schoot Lupo te binnen. Hij wist niet meer waar hij de haiku gelezen had. Misschien had hij hem zelf wel gemaakt, ter plekke.

Agrippina sneed de derde taart aan.

Toen de stukken verdeeld waren, ging Ebbe staan. Haar gezicht was heel klein. Haar lange blonde haar was wijd uitgekamd. Ze leek wel een hogepriesteres. Ze hief haar hoofd. Ze zei: 'Ik voel me nu heel dicht bij jou, Sterre: Ik weet nu ook niet wat ik moet zeggen.' Ze zweeg lange tijd. Ze hernam: 'Je bent altijd in onze gedachten. We gaan door het leven met de herinnering aan jou en aan de liefde die je ons betoonde. Zonder jou waren we nooit geworden wie we nu zijn. Om dat niet te vergeten, delen we vandaag ons gevoel voor jou met elkaar. Onze vreugde, omdat je nu gelukkig bent en ons verdriet, omdat we je niet meer bij ons hebben en nooit meer met je kunnen praten. We hebben je in al je grootheid zien wegvliegen en onze pijn is verzacht door het vertrouwen dat wat voor ons een afscheid was, aan de overkant een welkom was. Toen jouw witte vleugels uit ons gezicht verdwenen, werden ze elders aan de einder zichtbaar. En er is vreugdevol geroepen: Daar komt ze, daar komt ze!'

Ze ging weer zitten.

Nu stond Biba op. Ze zei alleen maar: 'Ik kan je zien, Sterre, ik kan je altijd zien.' En toen zei ze: 'Ik geef het woord aan oom Lupo.'

Lupo nam zijn tekst uit zijn zak. 'Ik wou dat ik het in net zo weinig woorden net zo mooi kon zeggen,' zei hij.

'Doe het maar gewoon op jouw manier,' zei Ebbe.

'Dankjewel,' zei Lupo. Hij schraapte zijn keel. Hij had wel een stuk of zes velletjes, zag Ebbe. Dit jaar waren het hexameters. Rabarber, rabarber, deed ze in gedachten verstrooid.

'Geboren waar 's nachts steeds de maan na haar werk, te rusten zich legt aan de voet van het zwerk, rabarber, rabarber.' De voet van het zwerk, dacht Ebbe verbaasd. Maar Sterre geboren uit het ochtendgloren was een mooi beeld. Ze droomde er een hele tijd over door. Lupo belandde inmiddels bij de echtscheiding van hun ouders. Berooid en verlaten, verkommerd, alleen, dat moest op hun hysterische moeder slaan. Gekidnapt, gebonden, geroofd uit hun thuis, dat was wat hun aan de drank verslaafde vader met hen gedaan had. Rabarber, rabarber. Al waren ze niet uit hun thuis, maar van de speelplaats van de kleuterschool ontvoerd. Sterre was juist verkouden geweest en was van top tot teen in de wollen sjaals gewikkeld. In de kelder waarin ze verborgen werden, bleek ze kinkhoest te hebben. Biba en Ebbe kregen het ook algauw. Sterre was altijd het eerste ziek en stak hen onveranderlijk aan.

'De speelbal van hen, als verzorgers benoemd,' dat was na de ontzetting uit de ouderlijke macht geweest. Wat een schatjes, riepen de diverse pleegouders telkenmale, om hen weer spoedig als wolvengebroed bij de kinderbescherming in te leveren: wantrouwige bijtertjes die alleen met elkaar communiceerden in een geheime tovertaal die niemand verstond.

Ebbe herinnerde zich een speciale pleegmoeder, die happend als een goudvis voor hen op haar hurken zat: 'Mama. Zeg het dan. Ma-ma.' 'Ba,' offreerde Ebbe. Ba was hun Sanskriet voor: die stomme koe denkt zeker dat we babies zijn.

'Ho,' antwoordde Biba, wat zoveel betekende als: ik heb schoon genoeg van al dat gelazer.

'Wijsa,' bevestigde Sterre, hun langste woord dat dan ook een gecompliceerd begrip uitdrukte: waar hebben we ze voor nodig, die stompzinnige ezels – zolang we elkaar hebben kunnen we de wereld aan.

De geleerden van de het kind beschermende instanties kwamen ten slotte tot een eensluidende conclusie.

'De drieling gescheiden, maar 't hielp toch geen zier,' scandeerde Lupo.

Biba was in Gelderland opgehouden met zindelijk zijn, Sterre scheurde in Groningen haar teddybeer aan flarden en Ebbe dreef in Limburg haar pleegouders tot razernij. Ze was furieus over het feit dat ze nu niemand meer had om haar tovertaal mee te delen. Ebbe was dus de eerste die in hongerstaking ging, in Bemmel. Sterre nam het een dag later in Uithuizen over. En achtenveertig uur later wierp Biba haar pleegmoeder in Lochem de Liga in het gezicht.

Herenigd ten slotte, rabarber, rabarber. Hou nou maar op, oom Lupo, dacht Ebbe. Ze luisterde niet meer. Hij kon nog wel de hele nacht dooremmeren over de tehuizen waarin ze achtereenvolgens het behang van de muren sloopten en de inrichting waarin ze ten slotte belandden, maar dat zou nimmer het mysterie oplossen waarom Sterre niet meer leefde en Biba en zijzelf nog wel. Ze hadden alledrie hetzelfde doorstaan, maar Sterre was de uitzondering op hun regel geweest.

––––––––––––

Zo was het destijds verder gegaan:

'Sterre is net even anders,' zei de dokter.

'Anders?' vroeg Ebbe verbijsterd.

'Zelfs een drieling is niet volkomen identiek. Ze reageert nu eenmaal anders op de dingen dan jullie doen.' In zijn rapport schreef hij: 'Patiënte heeft zich, niet zonder reden, nooit geaccepteerd geweten door haar omgeving. De enigen bij wie ze zich thuis voelt, zijn haar zusjes. Haar puberteit heeft zich evenwel eerder ingezet dan bij E en B waardoor ze zich dramatisch "anders" is gaan voelen. Tot dan toe had ze immers ieder gevoel, iedere gedachte, iedere pijn met haar zusters kunnen delen. Nu moest ze voor het eerst zelfstandig klaarkomen met een eigen ervaring. Helaas beschikte ze niet over voldoende achterland om de vermeende vervreemding van haar zusters op te vangen. Ze voelt zich thans een outcast. Wellicht door het ontbreken van evenwichtige, consistente rolmodellen zoekt ze de oorzaak van haar malaise in de aanleiding ervan: ze beleeft haar menstruatie als een macht die haar maandelijks verder van haar zusters en dus van haar enige contact met de buitenwereld drijft. Hoewel E en B inmiddels al geruime tijd eveneens geslachtsrijp zijn, zet haar waan zich onverminderd voort.'

Hij verzuimde te beschrijven hoe hij Sterre in het kader van zijn therapie bijna dagelijks had doen beseffen waarvoor ze iedere maand moest bloeden. 'Je bent een vrouw, je bent een vrouw,' zei hij als hij zich over haar heen boog op zijn sofa.

Hij schreef: 'Patiënte uit regelmatig de wens "het walgelijke" in haar te vernietigen. Dat daarbij een rol gespeeld wordt door de angst dat ze haar geliefde zusters met "haar duivel" zal "besmetten", als betrof het een kinderziekte, lijkt aannemelijk.'

Ebbe had hem met zijn eigen bureaulamp op het hoofd geslagen toen er besmettingsgevaar dreigde en Biba had zo hard gekrijst dat men met een dwangbuis toegesneld was. Hij had de drie meisjes spoedig daarna buiten de inrichting geplaatst. Ze pasten mooi in het nieuwe provinciale fasehuis, dat weliswaar nog, zoals in de psychiatrie gebruikelijk, was weggestopt achter hoge bomen, maar waar isoleercellen en hekken geheel en dokters vrijwel ontbraken. Het was niet onwaarschijnlijk dat ze daar temidden van andere, vrijwel genezen patiënten de sociale en praktische vaardigheden zouden ontwikkelen om weer ooit als volwaardige leden van de samenleving te functioneren.

Toen Sterres dossier afgesloten moest worden, voegde de dokter nog een laatste alinea toe: 'De therapie kan in zoverre als geslaagd aangemerkt worden, dat de patiënte tenslotte voldoende gevoel voor autonomie ontwikkelde om in haar eigen omstandigheden te durven ingrijpen. Doel van de behandeling is immers altijd geweest, de drieling tot autonome individuen te segregeren. Het vernietigen van haar "walgelijkheid" is s' autonome keuze geweest. Dat dat in haar optiek alleen gerealiseerd kon worden via totale zelfvernietiging, werpt ten onrechte een vreemd licht op het succes van de behandeling. Wezenlijk is, dat ze geleerd heeft, handelend in haar eigen leven op te treden. Zonder haar verblijf in de inrichting en in het fasehuis had ze die vaardigheid wellicht nooit ontwikkeld. De subsidiëring van dit succesvolle, nieuwe project dient beslist niet tot staan gebracht te worden.'

Een razend interessant fenomeen waren Sterre, Biba en Ebbe niet. Ze waren het klassieke voorbeeld van de geïsoleerd opgegroeide meerling, zoals dat van A tot z in de leerboeken beschreven stond, inclusief hun fabelachtige tovertaal die onder de I van Idioglossia gecatalogiseerd stond. Ze waren als geval net zo interessant als een alledaagse neusverkoudheid. Geen wetenschapper vindt het tot zijn eer strekken, de mensheid voor altijd te verlossen van zoiets gewoons.

———

Rabarber, zei Lupo uitgeput.

Ebbe en Biba applaudisseerden. Klap, klap – precies gelijk.

Er begon eindelijk iets van schemering in te zetten, maar koelte bleef uit. Nu was het Wibbe die sprak. Hij ging er niet bij staan. Hij schoof op zijn stoel heen en weer. Hij bevingerde het bestek. Zonder op te kijken mompelde hij een van zijn mompels. 'Toe maar Wibbe,' moedigde Lupo hem aan.

'We krijgen onweer,' herhaalde Wibbe.

'We zijn nog niet klaar,' zei Ebbe. Ze werd doodmoe van al die ongeregeldheden en inbreuken op hun ritueel. Met veel gevoel voor ceremonie kauwde ze haar laatste stukje taart weg.

'Gaan we? Het is bijna negen uur,' zei Biba.

Ebbe schoof haar stoel naar achteren en keek dreigend om zich heen. 'Ik hoop dat ik erop kan vertrouwen dat jullie voldoende respect hebben om niet over het weer te gaan zitten zwammen als wij onze hielen lichten.'

'Nee Ebbe,' zei Agrippina gedwee. Het holle licht van de lampions begon haar angst in te boezemen. Ze kon de gevorkte tongen van de vuursalamanders zien lekken. Ze verlangde naar haar bed. Om het pingpongen in haar oren tot bedaren te brengen, schudde ze heftig haar hoofd.

'Is er wat, moeder?' vroeg Lupo.

'Hoofdpijn,' zei Agrippina, wat klopte.

'En ook geen geklets over kwaaltjes,' riep Ebbe over haar schouder. 'Hang nou niet te teutebellen, Biba.'

Biba sjorde aan de zwanevleugels aan Sterres stoel, totdat Lupo haar te hulp schoot met het taartmes. Ze waren bijna te breed voor de keukendeur. De slagpennen krasten tegen de hor. Het licht in de keuken was beige. 'Het lijkt wel alsof het nooit donker wordt,' had Sterre gezegd.

Zo was het destijds verder gegaan:

'Dat duurt nog uren,' antwoordde Ebbe, die ineens wist dat ze in staat was om over water te lopen en alleen maar over het glinsterende oppervlak van de rivier hoefde te rennen om nog tijdig de zon te kunnen grijpen, vlak voor het moment dat hij zou zinken.

'Je wilt me tegenhouden hè?' zei Sterre. Haar ogen lagen diep in hun kassen. 'Ik vergeef je je harteloosheid nooit als je dat probeert. Vandaag is de afgesproken dag.'

'Laten we er nog een keer over praten,' zei Ebbe voor de duizendste keer. 'Biba, bedenk jij nou eens iets.'

Vruchteloos haakten de radertjes in Biba's hoofd in elkaar. Ze keek wild van de een naar de ander.

'Jullie laten me in de steek,' fluisterde Sterre. In haar klauwde het monster om zich heen. Het kon ieder moment dwars door haar huid heen breken. In paniek zei ze: 'Ik doe het nu. Ik wacht niet tot het donker is. Ik wacht niet totdat jullie uitgetwijfeld zijn.'

Biba sprong op. Ze greep Sterres handen. Ze begon te gillen. Ze schudde haar zuster door elkaar. 'Wijsa, wijsa!' krijste ze.

'Ze weet het niet meer,' fluisterde Ebbe. 'Ze is vergeten wat het betekent. Ze spreekt onze taal niet meer.'

'Zie je dan niet dat ik allang van jullie weg ben?' zei Sterre bijna zonder stem. Dat ik allang van jullie weg ben. Het gedrocht heeft mijn plaats ingenomen. Het onnoembare heeft nu de macht. Het moet vernietigd worden, nu het nog kan. Maar ze bezat geen bovenmenselijke krachten. Ze zei: 'Laat me niet alleen.'

'We laten je nooit alleen,' riep Biba, zich aan haar vastklemmend. Het stormde in Ebbes hoofd. 'En wat als we je wel alleen laten?'

'Dan doe ik het toch,' zei Sterre, 'en dan heb jij je belofte gebroken. Je hebt gezegd dat jullie alles voor me wilden doen.'

'Voor wat hoort wat,' zei Ebbe zo koud alsof ze haar afwasbeurt stond te verhandelen voor een kralensnoer.

'Ik kan je niet zeggen wat je ervoor terug krijgt,' zei Sterre met moeite, want ze wilde zo graag, ze wilde zo graag. Ze keek haar zusters woordeloos aan. Biba keek in haar opengesperde ogen. Haar hart sloeg over. Ze zag – de volkomen leegte. Door de barre verlatenheid zonder einder kroop Sterre als een mier in haar pyjama rond. Haar mond was tot een schreeuw vertrokken.

Ebbe keek in haar opengesperde ogen. Ze werd ijskoud. Ze zag – het verdwijnpunt. Het vlamde in ijskoude kleuren, het klopte, het sidderde, het ademde. Het had zojuist door z'n wervelende trechter Sterre verzwolgen.

Sterre sloeg haar blik neer. Als ze in haar het onwezen bespeurden, waren ze verloren. Ze kon hen niet vragen haar te helpen datgene te vernietigen waarvan ze geen weet mochten hebben. Met gebogen hoofd stond ze op. Ze trok haar pyjamajasje om zich heen. Ze verliet de kamer. Ze sloot de deur zorgvuldig achter zich. Ze leunde er nog even tegenaan. Toen ging ze de trap op.

'Ze is weg,' fluisterde Biba. 'Ze is weg. Ze is weg.'

'Ja,' zei Ebbe. Ze huiverde. Ze had de zomer lang op Sterre ingepraat. Woorden, woorden, woorden. Ze was gewend dat met woorden alles te regelen viel. Ze had er tot op het laatst op vertrouwd dat Sterre de redelijkheid zou inzien.

'We zijn tekortgeschoten,' zei Biba. Ze had de zomer lang uit alle macht van Sterre gehouden, met al haar kracht had ze haar met liefde omringd. Het was niet te accepteren dat zoveel liefde geen veilig huis om iemand heen bouwde, dat zoveel liefde nog onvoldoende was.

'Nee,' zei Ebbe plotseling. Ze reikte naar haar zuster en streelde haar wang. Als de sterkste band van de wereld, hun drieëenheid, Sterre niet had kunnen redden, dan kon dat alleen maar betekenen dat niets haar kon redden. Dat de heiligste wetten hun kracht konden verliezen. Dat men met lege handen kon komen te staan.

'Nee, we zijn niet tekort geschoten. Maar dat doen we nu wel. Zit niet te suffen, Biba.' Zonder op haar te wachten, vloog ze de kamer al uit.

Ze vonden Sterre op zolder. Ze maakte het luik naar het platte gedeelte van het dak open. 'Daar zijn we dan,' zei Ebbe. Haar hoofd was helder, haar hart was licht. Haar zelfverzekerdheid steunde Biba. 'Hallo,' zei ze verlegen.

Sterre zei niets. Ze klom naar buiten. Ze was zo zwaar dat ze maar net door de opening kon. Ebbe volgde. Toen Biba. Het transparante licht van de zomeravond hing bijna aanraakbaar over de tuin, het bos en de rivier. De dingen leken met zilver bestoft. Er was precies zo'n koeltje in de lucht waar Sterre van hield.

Ze zei: 'Het was een hele tocht hier naartoe, maar nu hebben we het ergste achter de rug.'

Ze stonden midden op het dak, alledrie vervuld van de gedachte dat er voortaan nog maar twee zouden zijn.

Sterre zei: 'Zo gek. Het is heel anders dan ik me had voorgesteld. Ik had gedacht dat ik allemaal hoogdravende dingen zou denken. Maar ik denk alleen maar aan de philodendron die ik vanochtend nog had willen verpotten. Doe jij dat voor me, Biba?'

'Laat dat maar aan Biba over,' zei Ebbe.

'Nu moet ik me even concentreren. Dit is niet niks,' zei Sterre met een half lachje.

Blijf nog even, wilde Biba zeggen. Blijf nog even tot de philodendron het plafond bereikt heeft. Ze wilde de fraaiste philodendrons voor haar kweken, zo mooi dat je er tranen van in je ogen kreeg en tegelijkertijd moest lachen van verbazing en geluk.

Dit is het belangrijkste moment uit ons leven, dacht Ebbe. Ze mocht er geen seconde van missen. Maar het was net alsof ze alleen maar op dwaze, vergankelijke dingen kon letten. Ze staarde in de verte, naar de zwanen op de rivier. In het halflicht was hun witheid bijna verblindend.

Sterre kon zich evenmin concentreren. Het was niet de adembenemendheid van de avond die haar teruglokte, het was de aanwezigheid van haar zusters. Ik kan nog terug, dacht ze. Misschien is de intentie voldoende om de demonen te verjagen. Straks drinken we limonade die Agrippina voor ons in de witte kan heeft klaargezet. Ebbe zal de bubbels uit mijn glas kletsen en Biba zal zeggen: 'Houd je muil nu eens even.'

'Waarom zijn jullie me achterna gekomen?' riep ze uit.

Ebbe had maar twee woorden. 'Uit liefde,' zei ze.

Meteen had Sterre weer grond onder haar voeten. Ze herinnerde zich haar opdracht. Uit liefde. Ze ging uit liefde. Ze kon het ontzettende in zich voelen vibreren, alsof het al z'n krachten mobiliseerde om uit te breken.

'Ik ben klaar,' zei ze. Ze omhelsde haar zusters aandachtig. Ze kuste hen. Ze liep naar de rand. Ze keek vol ongeloof naar beneden.

'Waar ga ik héén?' zei ze.

'De zwanen achterna,' zei Ebbe met al haar overtuiging.

'Ik was het zelf alweer vergeten,' mompelde Sterre. Ze hoorde de verbazing in haar eigen stem. Voor haar ogen begonnen haar zusjes te verbleken. Ze losten op. Nu was ze alleen. Een desolate kou daalde over haar heen. En toen hoorde ze het. Het raspte. Het knaagde. Het smekte. Het kwam uit haar buik. Het vrat zich een weg naar buiten. Ze kon zich niet meer bewegen. Ze wilde gillen, maar het had haar stem al genomen.

'Ik kan het niet,' snikte Ebbe.

'Hou me vast,' zei Biba. En met Ebbes armen om haar middel, duwde ze haar zuster van het dak.

———————

'Mogen wij van tafel, pap?' zei de oudste met welgemanierde stem.

'Sst,' zei Laurie.

'Mogen we, pap?' vroeg de jongste. Zijn schelle kinderstem

snerpte Agrippina door het hoofd. Ze voelde zich ziek. Het was een krankzinnige gedachte dat haar medicijn hier op een meter afstand van haar zat, spelend met de kruimels van de taartkorst.

'Gaan jullie maar,' zei Max.

Lupo keek gekwetst.

'In dat geval,' zei Agrippina, terwijl ze de kinderen nakeek die met Mar naar de bosrand holden, 'verklaar ik de zitting gesloten.'

'Waar ga je heen?' vroeg Lupo. 'Dit is niet het moment om aan jezelf te denken, moeder.'

'Als jij wat meer aan me zou denken, zou het nu misschien niet zo ver met me gekomen zijn dat ik barst van de hoofdpijn,' zei Agrippina. 'Ik ga even een wandelingetje maken. Misschien knap ik ervan op.'

'Ik denk dat ik mijn benen ook maar even ga strekken,' verklaarde Max, die er schoon genoeg van kreeg om in de schemering te zitten zwijgen.

Bezeerd bleef Lupo achter en bezag de ontvolkte tafel, de in elkaar gepropte servetten, de besmeurde bordjes, de beduimelde glazen. Het zag eruit alsof er een zwerm kraaien was gepasseerd.

'Ik blijf samen met je wachten, Lupo,' zei Laurie, Wibbe volstrekt negerend.

Lupo wierp daarentegen fronsende blikken op hem. Als Wibbe zich maar goed hield. Hij was indertijd zo geschrokken van Sterres dood, dat hij een hele week spoorloos was verdwenen. Toen hij weer opdook had hij dagenlang om iedereen heen lopen draaien, als een hond die bang was dat zijn baas hem in de steek zou laten. Hij was sedertdien zelden meer dagenlang aan de zwerf, maar bracht bijna al z'n tijd in hun nabijheid door.

Wij zijn het enige dat hij heeft, dacht Lupo. Hij waakt over ons om zichzelf veiligheid te verschaffen. Hij raakte Wibbes schouder aan. 'Alles is onder controle, jongen.'

Het eerste jaar dat ze de verjaardag van Sterres dood herdachten, was hij zo aan stuiptrekkingen en angsten ten prooi gevallen, dat ze hem in het botenhuis hadden moeten opsluiten. Toen hij na afloop bevrijd werd, had hij hen allemaal half huilend omhelsd. Hij meende zeker dat ze zich als een troep lemmingen na Sterre allemaal van het dak zouden storten, dacht Lupo.

'Dit ritueel,' legde hij Laurie uit, in de hoop dat Wibbe er iets van zou opsteken, 'dient zoals de meeste riten ter bezwering en verwerking van grote emoties.'

'Het is bijna een religieuze ceremonie,' zei Laurie. Ze was oprecht onder de indruk. Ze had het gevoel dat ze er op dit moment zelfs in zou slagen om Max het verschil tussen fatsoen en liefde aan z'n verstand te brengen.

'Ja, dat vind ik ook,' zei Lupo verrast. 'Ik moet iedere keer denken aan Bhutan, bij Tibet, waar de raven vereerd worden omdat ze de hele dag een van de heilige klanken herhalen: ah, ah, ah. De monniken brengen hen op het dak offers van deeg en gekleurde boter.'

'Gaan ze haar dan nu een offer brengen?' vroeg Laurie.

'Ze herleven een belangrijk moment,' zei Lupo, 'opdat ze nooit vergeten waarvoor Sterre stierf.'

'Waarvoor stierf ze dan?' vroeg Laurie.

Toen hoorden ze geschreeuw. Het was Max. Hij stond op enkele tientallen meters afstand van het huis, midden op het gazon. De schitterend witte vleugels tegen de loodkleurige lucht hadden zijn aandacht getrokken. Erachter werden de identieke gestaltes van Ebbe en Biba op het dak zichtbaar, hun blonde haar aureolen.

'Ze zijn gek geworden!' schreeuwde Max. 'Ze gaan springen!'

———

3

Er zijn van die dromen waarin het je maar niet lukt om je doel te bereiken, waarin het ene obstakel het volgende opwerpt, waarin het donker wordt als het licht moet zijn, waarin het huis dat je ten slotte buiten adem bereikt, net staat af te branden. Door een dergelijk moerasgevoel bevangen snelde Wibbe de vier trappen op. Het kwam hem voor dat hij vorderde gelijk een slak, welk tempo hem toch steken door zijn milt joeg. Een hevig heimwee naar omstandigheden van niet denken, niet handelen, niet verantwoordelijk zijn, doorsuisde hem toen hij ten slotte het zolderluik openstiet. Witgejaste mannen met opgeheven injectiespuiten – lange, helverlichte gangen, gesloten deuren – het rammelen van etenswagens – de rust en de geborgenheid van de inrichting drongen zich met geweld aan hem op.

Vermolmde planken deden hem struikelen, spinnen wikkelden hem van top tot teen in hun rag, bleke kobolden mompelden verschrikkelijke bezweringen in de donkere hoeken, maar ondanks deze kosmische samenzwering bereikte Wibbe de toegang tot het platte dak. Een spijker greep zijn trui, een houtsplinter haakte in zijn broek, het kozijn daalde knetterend op zijn schedel. Krakend en stomend stapte Wibbe naar buiten.

Na het duister van de zolder leek de avondlucht een moment licht te geven. Springlevend stonden Ebbe en Biba aan de rand van het dak. Ze waren buiten zichzelf van kwaadheid. 'Hou op met dat geloei, Max, halve zool! We zijn nog niet klaar!' schreeuwde Ebbe naar beneden.

Opluchting en razernij deden Wibbe voorwaarts stormen. Het perspectief verschoof. Behalve de grijze lucht zag hij nu de toppen van de bomen. Ze golfden, ze golfden als stak er een tornado op. Misselijk sloot hij zijn ogen. Zijn knieën knikten.

'Umpf,' zei hij.

'Christeneziele!' schreeuwde Ebbe, wankelend op de rand. 'Ik schrik me verrot!'

'Wibbe!' riep Biba. 'Wat moet jij nou weer?'

'Kunnen we nou niet even rustig onze ceremonie afmaken zonder dat iedereen ons voor de voeten loopt? Haal Max er ook bij! Neem een pak kaarten mee, dan kunnen we klaverjassen!' Dat was Ebbe weer. Ze was paars van drift.

Wibbe opende enige malen vruchteloos zijn mond. Hij kon niet meer spreken. Bewegen kon hij evenmin. Hij moest al zijn concentratie aanwenden om niet toe te geven aan het trekken van de donkere diepte. Met geen macht ter wereld kon hij achteruit naar de massieve betrouwbaarheid van de schoorsteen.

'Hou eens op met brullen,' zei Biba. 'Er is wat met Wibbe. Hij heeft een aanval van gekte.'

'Ook dat nog,' riep Ebbe woedend uit. Ze smeet de fonkelende zwanenvleugels tegen het dak en stampte op Wibbe toe. Ze greep zijn schouders. Ze schudde hem door elkaar. Zijn kiezen klepperden ervan. Verder gebeurde er niets.

'Wat moeten we nou?' vroeg Biba. 'Hij is helemaal in trance.'

'Ja hoor eens,' zei Ebbe, 'we zijn hier niet om Wibbe te verplegen. We zijn hier om Sterre te gedenken. We moeten ons programma afwerken.'

Ze pakte de vleugels weer op en schudde het stof er af. Ze begaf zich opnieuw naar de rand van het dak. Ze wendde haar gezicht naar de verre rivier die in de grijsheid opglinsterde. Haar blik werd strak van concentratie. De wind streek door haar haar. Toen hief ze haar armen, een vleugel in iedere hand.

'Niet doen!' brulde Wibbe, losbrekend uit zijn verdwazing. Met rollende schouders kwam hij in beweging, om op een meter afstand van Ebbe weer met verstarring geslagen te worden. Daar waar de boomtoppen de lucht raakten, begon het te tollen en te spinnen.

'Hij heeft het weer,' fluisterde Biba.

Ebbe bewoog zich niet. De vleugels lichtten op. 'Vandaag,' zei Ebbe, 'gaan de doden vóór de levenden. Vandaag kunnen de levenden zich niet tussen jou en ons dringen.'

De tijd stond stil: de meisjes, de vleugels, de bevroren man. Het moment dat moest komen leek langer dan de jaren die voorbij waren.

Eindelijk zei Ebbe: 'We zijn bij je. We zien je. We houden van je. We wensen je met heel ons hart een goede reis. We weten dat je aankomst behouden zal zijn. We weten dat je het daar beter zult hebben dan hier.'

'Wacht nog even,' riep Biba, 'ga nog niet! Blijf nog wat! Laat me de gedachten vrijmaken die ik nog moet uitspreken.' Ze strekte haar armen naar de vleugels uit. Ze opende haar mond. Duizend rimpels trokken over haar gezicht. Ze zuchtte. Ze liet haar handen langs haar lichaam vallen.

'Het is goed zo,' zei Ebbe. 'Je hebt gegeven wat je te geven hebt daar gaat het om. Dat heeft Sterre ook gedaan.'

Op de rand van het dak verhief ze zich op haar tenen. Ze strekte de vleugels hoog boven haar hoofd.

Van beneden klonk opnieuw het gebrul van Max, doorsneden door het sussend rijzen en dalen van Lupo's stem. De avond overkoepelde het ganse universum. Het was Wibbe te moede alsof hij onder een reusachtige stolp verkeerde. Zijn gewoel en gespartel sloeg tegen de glazen wanden zonder door iemand opgemerkt te worden.

'Dag lieverd,' riep Biba. 'Ik zal je nooit vergeten.'

'Dag!' riep Ebbe en wierp de vleugels krachtig omhoog. Witblinkend bonkelden ze door de lucht, vonden hun evenwicht en zeilden in een serene zweefvlucht door de roerloze oneindigheid van de naderende nacht. Achter de bomen verdwenen ze met kalme statigheid uit het gezicht.

Biba snoot haar neus. 'Ik sta te trillen van emotie,' zei ze.

'Mooi hè?' zei Ebbe zachtjes. Ze ging zitten waar ze stond. Ze wreef haar schedel, haar achterhoofd, haar nek. Ze dacht niet één enkele gedachte. Na lange tijd zei ze: 'Laten we nou Wibbe maar bijbrengen. We hadden hem beter weer kunnen opsluiten.'

Op het moment dat de meisjes hem met zoet gesjor en zachte klokgeluiden weer door het luik op de pikdonkere zolder hadden weten te krijgen, op het moment dat de zeezieke boomgrens van zijn netvlies verdwenen was, behoefde Wibbe niet meer bijgebracht te worden. Hij was terstond zichzelf, in het aardeduister. Hij explodeerde. Heel dat een mensenleven lang durende ogenblik dat Ebbe op de rand gestaan had, kwam tot ontploffing. Wibbe raasde en tierde. Hij ging tekeer alsof hij door een half dozijn duivels bezeten was. Hij stampte met zijn voeten, hij maaide met zijn armen en hij brak zowat zijn nek, zo zwiepte hij met zijn hoofd. Er viel voor Ebbe en Biba geen touw aan vast te knopen. Ze wisselden stuiperige blikken. Ze ademden jawibbeneewibbe. Ze weken behoedzaam achteruit. Met begrijpende gezichten koersten ze op het luik af, terwijl Wibbe als een blindganger voortkabaalde.

Hop, daar dook Biba.

Hop, daar dook Ebbe. Het luik klapte achter haar dicht. Het denderde in z'n voegen. Het raakte geheel per ongeluk klem. Het viel vanaf de zolder niet te openen. Een gelukkig toeval, verklaarde Ebbe terwijl ze Biba voor zich uitduwde in het trappehuis: in het donker kon Wibbe mooi even betijen en zo zou voorkomen worden dat hij dingen deed waarvoor hij zich later maar moest schamen.

'Arme Wibbe,' zei Biba. In het dossier over Biba stond dat ze geen eigen identiteit en dus geen eigen stelsel van normen en waarden bezat. Ze werd een zwakke persoonlijkheid genoemd met een onrustbarende behoefte aan leiding. Bovendien leed ze aan faalangst.

In het dossier over Ebbe stond dat ze geen autonome entiteiten buiten zichzelf erkende en dus geen compassie kende. Ze werd een rigide persoonlijkheid genoemd met een onrustbarende behoefte om zich te laten gelden. Bovendien leed ze aan megalomanie.

In Wibbes dossier stond: 'Voor de patiënt uit het ontwrichte of onvolledige gezin dient een nieuw gezinsverband gecreëerd te worden. Sinds het kerngezin en familiebanden in onze samenleving aan waardevastheid en betekenis zijn gaan inboeten, kunnen we steeds meer gevallen verwachten die door het ontbreken van voorbeelden niet in staat zijn, normale relaties te onderhouden, waardoor ze in een emotioneel isolement geraken en via dat in andere vormen van psychische ontreddering. Het therapeutische gezin is weliswaar een kunstmatige oplossing, maar zal de patiënt toch gelegenheid tot het ervaren van familiebetrekkingen bieden, met alle heilzame gevolgen van dien. Met het oog op de toekomst kan het experiment van het therapeutische gezin van het grootste belang worden genoemd.'

Waarom juichte iedereen het experiment-Wibbe zo toe? Omdat het de veronderstelling bevestigde, dat voor gekken surrogaat voldoende is.

———————

'Maar er is niets gebeurd, ik zei toch dat er niets zou gebeuren,' zei Lupo voor de zoveelste keer.

'Het is ziekelijk en abnormaal, die hele vertoning,' bracht Max blazend uit.

'Nou Max,' zei Laurie, slecht op haar gemak.

'Stel je voor dat er doden gevallen waren! Dat we met een stel lijken opgezadeld geworden waren! Dat we hierbij betrokken waren geraakt!'

'Iedereen heeft zijn eigen verantwoordelijkheden,' zei Lupo. Hij zocht naar een toepasselijk citaat dat Max voor eeuwig zou vrijwaren van zorg om toevallige lijken.

'Het is de vraag,' zei Max meteen sarcastisch, 'of iedereen zich daarvan bewust is. Sommige mensen zouden bijvoorbeeld wijzer zijn dan kleine kinderen bloot te stellen aan dit soort obsceniteiten. Wat zal deze voorstelling voor gevolgen hebben voor mijn kinderen? Ik ben hier gearriveerd met twee gezonde, normale jongens. Straks ga ik naar huis met een paar bedwaterende patiënten.'

'Dat lijkt me wat sterk,' zei Lupo, die moe begon te worden. 'Ik kan me niet voorstellen dat een demonstratie van betrokkenheid en genegenheid tot bedwateren zou leiden.'

'Kinderen hebben meer behoefte aan de veiligheid van orde en regelmaat dan aan de chaos van sentimentaliteiten. Als opvoeder stel ik mijn prioriteiten. Want een evenwichtige persoonlijkheid wordt niet geboren, die wordt gevormd.' Hierbij bewoog Max zijn vingers alsof hij klei kneedde.

'Jammer dat je doorgaans zo weinig tijd vrij kunt maken voor je vormingswerk,' zei Laurie.

'Het lijkt me aantoonbaar,' zei Max gevaarlijk, 'dat mijn methode meer vruchten afwerpt dan die waaraan dat kleine halfverwilderde wezentje hier onderworpen is.'

'Dat is niet eerlijk,' zei Laurie. 'Dat meisje is, hoe heet het, gestóórd.'

Ogenblikkelijk sloot Max zijn mond. Hij sloeg zich voor zijn voorhoofd. Hij maakte een kleine voorstelling van het herwinnen van zijn zelfbeheersing. Er verscheen een minzame, alwetende glimlach op zijn gezicht.

'Hoe stom van me,' zei hij neerbuigend. 'Ik zou helemaal niet met u in discussie moeten gaan.'

'Neem me niet kwalijk,' zei Lupo verbluft. Joseph van Eötvös: Om bepaalde dingen te kunnen begrijpen hebben we misschien te weinig, misschien echter ook wel te veel verstand.

'Nee nee,' zei Max zalvend, 'het is aan mij om me te verontschuldigen. Het is allemaal al ingewikkeld genoeg voor u, ook zonder vermoeiende debatten.'

'Juist,' zei Lupo in het wilde weg. 'Dan ga ik nu maar eens afwassen.'

Hij nam de benen voordat Laurie al haar zuignappen weer aan hem kon hechten en voordat Max opnieuw in raadselen zou spreken. Het zou hen bovendien goed doen om even samen te zijn, dacht hij. Aan de manier waarop ze kibbelden kon hij zien dat ze dol op elkaar waren: hevige emoties gingen altijd gepaard met heftige conflicten. Zijn brief schoot hem weer te binnen en zijn hart ging sneller kloppen. Het was machtig om de architect van andermans geluk te zijn.

In de keuken waren Ebbe en Biba al met vaatwerk aan het rammelen.

Lupo werd op slag week van ontroering. Met een droge keel zei hij: 'Het was prachtig vanavond.'

'Ja hè?' zei Biba blij. Ze voegde er beleefd aan toe: 'Je gedicht was ook weer mooi, oom Lupo.'

Ebbe smeet een stapel borden in de gootsteen. 'Het was anders wel een rommeltje. Iedereen rende maar in het rond. Hadden jullie niet kunnen verhinderen dat Wibbe ineens als een blind paard naar boven stoof? Hij kreeg een aanval van nietgoedsnikte, midden in de ceremonie.'

'We hebben hem even op zolder opgesloten om tot zichzelf te komen,' zei Biba.

Lupo greep zich vast aan het aanrecht.

'Hij was door het dolle,' zei Ebbe.

Lupo kon het zich helemaal voorstellen. Hij voelde zijn hoofdpijn met hernieuwde felheid terugkomen.

'En ik snap ook niet waarom Agrippina niet de eerbied had om even te blijven zitten,' vervolgde Ebbe streng.

Nieuwe schichten doorkliefden Lupo's schedel. Agrippina! Agrippina die even haar benen ging strekken!

'Is ze nog niet terug?' vroeg hij.

'Ik heb haar niet terug zien komen,' zei Biba. 'Je moet die borden eerst even leegmaken in de vuilnisemmer, anders raakt de afvoer weer verstopt.'

'Het enige dat ik gezien heb,' zei Ebbe, 'was dat ze midden onder het gebeuren de tuin uitwandelde. Het bos in. De kinderen achterna. Ze leek wel een glimworm, in al die lichtgevende sjaals.'

Ze schraapte de borden schoon in de taartschaal. Ze opende de vuilnisemmer. 'Verrek,' zei ze. 'Kijk nou,' zei ze. Ze zette de schaal neer. Ze bukte zich. Tussen duim en wijsvinger viste ze een dode vogel uit het huisvuil op. En toen nog een. 'Het ligt stampvol dooie kuikens!' riep ze uit. 'O, oom Lupo!'

Biba wrong zich langs haar zuster. 'Ach, het zijn er maar een páár,' zei ze. Toen drong het ook tot haar door. Haar ogen werden groot. 'O, oom Lupo!' zei ze eveneens.

Lupo moest gaan zitten. Zijn handen en voeten waren ineens erg koud. Van zijn voorhoofd, daarentegen, sloeg een hete damp.

'Je had beter op haar moeten letten,' verweet Ebbe met schelle stem van de zenuwen. 'Jij laat iedereen maar aan z'n lot over. Als ze dit merken, zijn we nog niet jarig. We moeten haar meteen gaan zoeken.'

'Hou je grote muil,' zei Biba werktuiglijk.

De stilte duurde nog geen tel of de gazen deur klepperde. Ebbe draaide zich om, wierp in één vloeiende beweging het vuilnisvat dicht en ging op het deksel zitten. 'O,' zei ze: ze hield in iedere hand nog een kuiken.

'Ik wou mijn kinderen maar eens in bed gaan stoppen,' zei Max. Hij zweeg. Hij zag Ebbe en haar lijkjes.

'Zo,' zei die, voortvarend overeindkomend en de vogels op de taartschaal leggend, 'wij zijn alweer bezig met het avondeten voor morgen.'

'Voor de kat dan. Dat is Bo's diner,' zei Biba.

'O. Zijn mijn kinderen nog buiten?' vroeg Max.

'We gaan ze meteen halen,' zei Ebbe en omklemde haar schotel. Niemand verroerde een vin.

'Nou, dan zal ik hier maar even op ze wachten,' zei Max. Hij maakte aanstalten om naast Lupo aan de keukentafel plaats te nemen.

'Nee!' schreeuwde Biba.

'Pardon?' zei Max. Hij keek van de verlamde Lupo naar de meisjes.

'Nee! Natuurlijk niet! Wat ben ik ook een oen!' schreeuwde Ebbe. 'Nee! Ik kan dit zo niet laten staan, want dan gaat Bo er nu al mee vandoor. We kunnen zijn hapje beter even in de kelder zetten. Ach, doe jij dat even. Daar is de deur.' Ze stak Max de schaal toe.

Hij zei: 'Ik ben altijd blij als ik kan helpen.' Hij knipoogde.

Ebbe knipoogde terug. 'Even het trapje af,' zei ze.

'De deur is op slot,' zei Max.

'Hier is de sleutel,' zei Biba, in Agrippina's schortzak graaiend. Ebbe draaide het slot los en opende de deur. Ze zei: 'Halverwege de trap links is er licht. Eerst een paar treedjes af. Ik doe de deur even dicht vanwege de tocht, hoor.'

'Dan gaan wij door met de afwas,' zei Biba.

Max stommelde naar beneden. 'Au, verdomme!' bulderde hij, met veel geraas omlaag stortend. Het overstemde de klik waarmee Ebbe de sleutel omdraaide.

'Zo maak je het alleen maar erger. Geef die sleutel hier,' zei Lupo, asgrauw overeindkomend.

'Wat denk je dat Agrippina aan het doen is nu ze de smaak te pakken heeft?' Wou je soms dat hij haar betrapte bij haar vampirisme?' siste Ebbe. Het was een gruwelijke opmerking. Het was een flagrante overtreding van hun code die voorschreef dat men nimmer hardop over zulke dingen sprak. Het werkte als een wekker: Lupo ontwaakte. 'We gaan onmiddellijk zoeken. Evertje Polder! Zoek de vrouw!' riep hij.

'Hou er nou even je hersens bij. Die heb je vanmiddag zelf doodgeschoten,' zei Ebbe. Biba klapte in haar handen en riep uit: 'Ze zit natuurlijk gewoon op Evertje Polders graf om om haar te rouwen! Jullie moeten niet meteen het ergste denken!'

'Zijn ze hier? De kinderen?' vroeg Laurie in de open deur.

Max koos dat moment om vanuit het inwendige van het huis een liederlijk gebrul omhoog te zenden. 'Max?' zei Laurie, om zich heen ziend.

Hoog in de kruin van een majestueuze es zei de jongste: 'Zouden we hier niet kunnen blijven? Het is hier veel leuker dan op Elba.'

'Ik heb het iedereen op school verteld,' zei de oudste. Hij had er nu spijt van. 'Niemand ging naar Elba,' zei hij verdedigend. 'Alleen die stomme ouwe Napoleon. Misschien vinden we wel botten van hem.'

'Wat moeten we nou de hele dag op Elba doen?' zeurde de jongste. Hij krabde aan zijn knie. Hij was de ongelukkigste jongen van de wereld. Waarom kon hij niet rustig zijn hele vakantie in zijn boom blijven zitten? Hij kroop wat dieper in de vork van de takken. 'Zullen we een hut bouwen? Hier, in de boom?' riep hij omhoog.

'We moeten morgen toch weer weg,' zei de oudste. Hij wiebelde lusteloos met zijn voeten. Toen kreeg hij zo'n meesterlijk idee dat hij bijna zijn evenwicht verloor. Zonder hen zouden hun ouders nooit weggaan! Als ze zich verstopten, zouden ze net zo lang kunnen blijven als ze wilden.

'Dan hebben we wel een hut nodig,' zei het andere kind gretig. Hij was er zeker van dat hij nog nooit in z'n hele leven iets zo graag gewild had als dit avontuur. Het diende zonder uitstel gerealiseerd te worden.

'Als die gek ons maar niet verraadt,' zei de oudste plotseling. 'We hebben haar op een dwaalspoor gezet! Ze heeft ons nooit in deze boom zien klimmen! Ze rende zó onder ons door! En toen ze ons kwijt was, is ze naar huis teruggegaan. Ze weet van niks!' riep de jongste vurig.

Zijn broer voelde een rilling over zijn rug trekken. Als hij in staat was de levens van volwassenen in de war te sturen door hun reisplannen te verijdelen, wat kon hij dan niet aanrichten in het bestaan van een klein, achterlijk meisje? 'We moeten het zekere voor het onzekere nemen. We gaan haar uitschakelen,' zei hij.

Het was inmiddels zo donker dat de lampions op de veranda al van verre zichtbaar waren. In de keuken floepte het licht aan.

'Is dat mama?' vroeg de jongste.

'Ja,' fluisterde de oudste. 'Ze zijn vast al aan het zoeken. Zometeen gaan ze natuurlijk het bos uitkammen. Niemand zal raden dat wij in het hol van de leeuw zitten. Kom op. We moeten sluipen.'

Maar de jongste bleef als betoverd staan. Geheimzinnig rees het huis met al z'n schoorstenen, z'n torens en z'n uitbouwen uit het zwarte geboomte op. Als een plas melk vloeide het gazon het bos in. Van de rivier klonk de ratelende roep van een nachtzwaluw.

'En dit alles,' siste de oudste, 'is van háár. Zij kan hier iedere dag spelen. Het is niet eerlijk.'

Mars kamer bevond zich op de benedenverdieping. Staand bij het venster wenkte de oudste. Hij maakte een serie tekens die zo geheim waren dat ze niet te begrijpen vielen. De jongste ging op zijn tenen staan en keek. Mar zat op haar bed; haar klompen stonden er netjes onder. Op haar kussen lag het laatste zwanejong te zieltogen. Mar gaf kusjes op haar vinger en smeerde die over het vogeltje uit. Onophoudelijk ging haar hand heen en weer op de maat van het lied dat ze voor haar kuiken zong. De jongens hadden het al eerder gehoord en lachten achter hun handen.

'De uil zat in de olmen,' bromde Mar.

De oudste tikte op het raam. Met een snelle beweging hief het meisje haar hoofd. De snor op haar bovenlip was doorgelopen. Zonder verbazing stond ze op en opende het venster. 'Ja?' zei ze met een ondertoon van ongeduld. Ze klonk precies zoals hun moeder, wanneer die de telefoon opnam. De kinderen hadden er even niet van terug. 'Hallo,' zei de oudste weinig strijdvaardig.

'Dag hoor,' zei Mar vriendelijk en duwde het raam weer toe. De jongste kon het nog net grijpen. 'We komen je uitschakelen,' zei hij met de stem van zijn broer.

'Nee,' zei Mar. Het was duidelijk dat ze daar geen tijd voor had. Ze probeerde opnieuw haar raam te sluiten. Toen liep ze schouderophalend terug naar het bed en hervatte haar gezang.

'Ze snapt er niks van,' zei de jongste nijdig.

'We komen met je afrekenen!' riep de oudste gedempt naar binnen. Hij loerde om zich heen. 'We komen je kielhalen.'

'Voor de krokodillen gooien,' bedacht de jongste.

'Levend roosteren!'

'Scalperen!'

'Je ogen uitsteken!'

'Je tong uitrukken!'

'Je nagels uittrekken!'

'Je vingers tussen de deur houden!'

'Je tegen je schenen trappen!'

'Aan je haar trekken!'

Het kielhalen aldus binnen hun bereik gebracht, ontstaken de kinderen in grote opwinding. Zonder veel moeite klommen ze door het raam naar binnen. De kamer rook naar meisjesachtigheid. Er hing een plaat van een kikker met een petje aan de geel gesausde muur. Ernaast had Mar een uit een tijdschrift geknipte foto geplakt van een auto waarop aan de achterkant een vrouw met enorme borsten was geschilderd. Ze maakte een obsceen gebaar naar onzichtbare automobilisten. Er kwam een grote bel uit haar mond waarin stond: 'Honk if you're horny.'

'De uil,' zoemzong Mar, wiegend boven het vogeltje, 'de uil zat in de olmmmen.' Ze keurde de indringers geen blik waardig.

'Je eendje gaat toch dood. Je kunt hem nooit in leven houden,' zei de oudste à la Agrippina.

'De uil,' zong Mar, 'de uil zat in de olmen.'

'Ze is wel heel erg getikt,' zei de jongste.

'Zo'n gek heeft een heel bos voor zichzelf. En een rivier. En een boot.'

'En een eiland vol kikkers. En wij hebben niks. Alleen racefietsen.'

'Je hoeft gekke meisjes natuurlijk niet zo te behandelen als gewone meisjes,' viel de oudste ineens in. Hun vader was erg op omgangsvormen. 'Gedraag je fatsoenlijk en je komt overal mee weg,' zei hij altijd. Meisjes hadden, hoe ongelooflijk dat ook klonk, volgens hem recht op een fatsoenlijke behandeling. Fatsoen omvatte iedere denkbare handeling met uitsluiting van het toebrengen van zichtbaar letsel. 'Ze zijn natuurlijk meestal een molensteen om je nek, maar je zou het toch niet zonder ze willen stellen, nietwaar?' zei hij altijd met een knipoog.

De jongste had inmiddels een betere oplossing bedacht. 'Ze is geen meisje meer. Ze hebben een jongen van haar gemaakt,' zei hij.

Dat maakte Mar tot hun gelijke. En voor het verkeer met gelijken golden andere regels. De belangrijkste was: wees ze te snel af voordat ze jou te snel af zijn.

'Ze loert op haar kans,' zei de oudste. 'Ze is niet te vertrouwen. We moeten snel zijn.'

Nu onderbrak Mar haar van doem vergeven gezang. 'Piep,' zei ze dringend tegen het kuikentje. 'Piep. Piep en wapper.' Ze deed een wiekbeweging met haar armen voor.

De oudste spreidde zijn armen, zakte op zijn hurken en snerpte: 'Piep-piep!' De jongste lachte zich een ongeluk. 'De uil in de olmen!' riep hij. Meteen rees het beeld van zijn boomhuis voor hem op. Ze moesten opschieten voordat die gek kans zag, alles te bederven.

'Ja, zo,' zei Mar verheugd, het zwaantje van het kussen pakkend. Ze draaide het kopje in de richting van de oudste. Een melkwit vlies bedekte de oogjes half. Ze schudde even. 'Kijken,' sprak ze streng.

'Ik denk dat hij wil zwemmen,' zei de jongste. Zijn stem klonk sloom. Het veelvoud aan mogelijkheden verlamde hem. Hij keek naar Mars wastafel. Naast de kraan stond een plastic Donald Duck.

Zijn broer volgde zijn blik. Hij kwam overeind. Hij drukte de stop in de afvoer en draaide de kraan open. Hij liet Donald Duck dobberen. De straal raakte zijn afgebladderde blauwe pet en het water spatte alle kanten op. 'Hier,' beval de oudste, zijn hand uitstrekkend, 'dan zullen we eens bekijken of het nog de moeite waard is, hem in leven te houden.'

Mar kwam naderbij, het diertje tegen zich aangedrukt. In haar geest kwamen enkele verbindingen tot stand. 'Het zwemt,' zei ze plechtig. Met twee handen liet ze het kuiken in het water zakken. Het raakte onmiddellijk in een spasme. Het stuiptte met z'n vleugeltjes, het trapte met z'n grote gele poten, het sperde z'n doorschijnende snavel open en stiet een door merg en been gaand getsjilp uit.

Mar stak haar hoofd zowat in het water. 'Zwem. Piep. Wapper,' somde ze gelukkig op. Met een sierlijke beweging wendde ze zich tot de jongetjes. Eenvoudig zei ze: 'Dankjewel.'

'En nou jij,' zei de jongste, zijn brein één grote, verhitte kluwen.

'We hebben nog iets van je tegoed,' zei de oudste. 'We hebben ons kostelijke bloed voor je vergoten. Nu moet jij nog voor ons bloeden.'

Op dat moment klonk er gebrul. Het kwam van recht onder hun voeten. Vanuit het middelpunt der aarde meldde zich Beëlzebub zelf. Het huis sidderde ervan. Na de schreeuw was de stilte zwaar van onheil.

En toen kwam van boven het antwoord. Een uitzinnig getier vulde het gehele toverhuis een moment. Ze waren betrapt. Ze waren omsingeld. Ze bevroren.

Zijn verblijf op de donkere zolder had geen kalmerende uitwerking op de arme Wibbe. Hij raakte integendeel volkomen buiten zichzelf. Hij trapte tegen de muren, hij krabde zijn nagels stuk aan het luik, hij schreeuwde tot zijn tong tot z'n dubbele omvang opzwol en zijn keel een woestenij was. Het gedrag van de arme Wibbe was het bewijs van zijn eigen stelling dat mensen er niet tegen kunnen om opgesloten te zitten. Als kind had hij voor het eerst de effecten van opsluiting ervaren, aangezien zijn moeder hem in de gangkast opborg, telkens wanneer hij iets deed dat zij ontoelaatbaar achtte. Als negenjarige formuleerde de arme Wibbe, gezeten op de stofzuigerslang, daar de Wetten van Wibbe.

De eerste Wet van Wibbe luidde:

1) Het feit dat anderen bepalen wat wel of niet toelaatbaar is, beknot de individuele vrijheid.

2) Was er geen beperking, dan was er ook geen overtreding mogelijk.

3) Bestond er geen overtreding, dan waren er ook geen sancties nodig.

Conclusie: als iedereen slechts voor en over zichzelf oordeelde, zou er nooit iemand opgesloten hoeven worden. Om te bewijzen dat iedereen daartoe in staat was, werkte de arme Wibbe vervolgens de autonomie van de mens uit. Hij had alle tijd en een overgeschoten rol behangpapier tot zijn beschikking.

Hij schreef:

1) Vrijheidsberoving ontneemt het individu de mogelijkheid, naar eigen goeddunken te handelen.

2) Wie handelingsonbekwaam (gemaakt/verklaard) is, kan zijn zelfbeschikkingsrecht niet realiseren.

3) De afwezigheid van zelfrealisatiemogelijkheid is het kenmerk van dieren.

Conclusie: opsluiting verlaagt mensen tot beesten en is als zodanig een misdaad tegen de menselijke waardigheid.

De combinatie van de Eerste en de Tweede Wet van Wibbe leidde tot interessante stellingen. Een daarvan was: Pas bij het volkomen ontbreken van beperkingen kan er sprake zijn van waarachtig en volledig mens-zijn.

Er vloeiden ook aanbevelingen uit de Wetten van Wibbe voort. De aanbeveling op basis van de Eerste was: Kijk naar je eigen. De aanbeveling op basis van de Tweede was: Zing zoals je gebekt bent. Zouden de volkeren der aarde deze beide adviezen opvolgen, dan zou het menselijk problemarium aanzienlijk inkrimpen.

Een cynische omstandigheid was, dat dezelfde Wetten de arme

Wibbe geïnspireerd hadden tot een van zijn projecten in het huis aan de rivier: het slotenvrij maken van het hele pand. Alle ruimtes moesten vrij te betreden en vrij te verlaten zijn, meende hij. Niemand zou een ander kunnen opsluiten – of buitensluiten, dacht de arme Wibbe, zich plotseling afvragend of er geen behoefte was aan een Derde Wet van Wibbe, waarin de emotionele aspecten van buitengesloten-zijn gelijkgesteld werden aan die van opsluiting. Het eerste artikel zou kunnen luiden: Wie buitengesloten wordt, raakt opgesloten in zichzelf.

Wat doe ik toch verkeerd, dacht de arme Wibbe, waarom hoor ik er niet echt bij? Hij deed toch zo zijn best, maar ondankbaarheid was zijn deel.

'Ik eis een slot op de badkamerdeur,' zei Biba. 'Mag ik even rustig poepen?' zei Ebbe. 'Denk eens aan alle onverlaten die zo het huis kunnen binnenwandelen,' zei Lupo. 'De kelder is gevaarlijk voor Mar,' zei Agrippina, 'hier, die sleutel.'

Wat dat laatste betreft, het hele huis was gevaarlijk. Een van de andere projecten van de arme Wibbe was het zo veilig mogelijk maken. Hij zou niet weten wat hij moest beginnen als hij er na Sterre nog een verloor. Haar dood was uiteraard te verklaren geweest uit de Tweede Wet van Wibbe: op deze manier had zij haar zelfbeschikkingsrecht ingevuld. Maar om de een of andere reden was dat toch niet de bedoeling van de Wetten van Wibbe geweest. Hij voelde sedertdien het tegenstrijdige verlangen, zijn huisgenoten in gecapitonneerde doosjes op te bergen – want wat zou er van hem worden als hen nog iets overkwam?

En dus zette de arme Wibbe trapleuningen vast, schaafde hij drempels bij en spijkerde hij de vloerbedekking muurvast aan de plinten. Hij sleep de messen maar half, hij draaide alle haken uit de plafonds en hing de lampen aan de muren, hij legde het gas om, hij verving de hoge ouderwetse badkuip door een douche en als hij gekund had, had hij het huis overdwars door midden gezaagd en de helften naast elkaar in de tuin geplaatst, omringd door matrassen.

Bevangen door deze sombere gedachten zat de arme Wibbe zijn tijd in het duister uit. Af en toe slaakte hij nog een schorre kreet om hulp. Niemand kwam. Naarmate de tijd verstreek, nam zijn paranoia toe. Die meiden hadden hem moedwillig opgesloten omdat ze hem niet konden gebruiken bij de ijselijkheden die zich nu aan het voltrekken waren. Wat kon er zo bloedstollend zijn dat ze hem buitensloten? Wat zou de grote apotheose van deze opmerkelijke avond zijn?

'Maar ze zeiden dat ze klaar waren,' zei de arme Wibbe hardop. Dat hielp slechts in beperkte mate. Toen dacht hij aan Max. Max was om precies te zijn de enige van wie hij redding kon verwachten.

Max had twee keer geschreeuwd. De eerste keer toen hij van het keldertrapje lazerde en de tweede keer toen hij na een onbekende hoeveelheid tijd weer tot bewustzijn kwam en over zijn hele lichaam honderden klauwtjes voelde prikken.

Zijn tweede schreeuw duurde aanmerkelijk langer dan de eerste: het is een tamelijk lugubere gewaarwording om plat op de rug in een aardedonkere ruimte te liggen en betast te worden door een duizendpotig nagelwezen.

Het duurde een volle minuut, precies zolang als het zijn ogen kostte om aan het duister te wennen, voordat Max besefte dat hij overwoekerd was door een enorme massa muizen, wier behuizingen hij links en rechts in zijn val omver had gestoten.

Trappend en vloekend kwam hij overeind en begon zich in een woeste dans van het muizenvolk te ontdoen. Ze piepten en trilden kwaadaardig met hun snorren, ze wikkelden hun staarten om zijn hals en zijn polsen, ze hingen aan zijn jasje en aan zijn broekspijpen, hun griezeloogjes vurig en hun rechte, witte tandjes blinkend. Het moesten er zeker vijfhonderd zijn.

De atmosfeer was zo bedorven dat Max dacht te zullen stikken. Hij mepte en sprong, hij trok ze uit zijn haar en slingerde ze tegen de muur, hij trapte er wel een dozijn tot pulp en schopte de glibberige resten om zich heen. Die werden onmiddellijk opgevreten – de muizen moesten uitgehongerd zijn. Hij moest in beweging blijven.

Licht! Voor licht zouden ze vluchten. Er klonk een echo in zijn hoofd. 'Halverwege de trap links,' zei een vage meisjesstem. De trap. De deur. Struikelend baande Max zich een weg door het gekrioel. Onder zijn voeten knerpte de stukgevallen schotel. Meteen herinnerde hij zich alles weer. Hij stormde naar boven en stiet zijn schouder tegen de deur. Hij rammelde aan de knop. Hij bonkte op het hout. Hij schreeuwde: 'Ebbe! Iemand! Help!' Hij wachtte. Hij luisterde. Hij rukte aan de deur. 'Laat me eruit! De deur is in het slot gevallen!'

Er mocht dan het een en ander op Max aan te merken zijn, snel denken kon hij wel. 'Ik zit opgesloten!' riep hij met beide handen op de deur slaand. Hij liet zijn handen zakken. 'Ik zit opgesloten,' herhaalde hij verbaasd. 'Ze hebben me opgesloten.'

Mak ging hij op de bovenste trede van de trap zitten. Er was niet veel anders te doen dan het infernale muizengedoe te beluisteren.

Ten slotte formuleerde Max een vraag. 'Waarom zit ik opgesloten?' vroeg hij de knagende muizen. Hij liet een serie bloedschennige godslasteringen schieten. Was dit soms de manier waarop die kleine Ebbe zie-maar-dat-je-me-krijgt speelde? Welnu: laat niet met je sollen door die kleine snollen, was altijd zijn devies geweest. Ze zou van een koude kermis thuiskomen, dat loeder.

'Mahax? Ben je nog kwaad op me?' 'Nee, lieve kind,' zou hij zeggen. Daar konden ze niet tegen. Laurie barstte ook altijd in tranen uit als hij liet blijken dat hij niet te manipuleren was.

'Wel gloeiende godverdomme!' riep Max in het donker uit. Laurie! Was het soms Laurie? Het was Laurie! Het was Lauries idee van wraak! Lauries idee van schuld en boete. Laurie met haar gefemel over liefde!

Zijn humeur ging met sprongen vooruit. Hoe ze dit bezuren zou. Hoe ze dit bezuren zou. Hoe ze dit bezuren zou. Ze zou God op haar blote knieën bidden dat ze nooit op deze armzalige wraakoefening gekomen was. Ze zou haar haren met bossen tegelijk uitrukken. Ze zou hem smeken om vergiffenis. Hij zou slechts zeggen: 'Je hebt de grens van het betamelijke overschreden,' en hij zou haar kwellen, hij zou haar verdomme kwellen tot voorbij haar eigen grenzen, tot ze haar houding van vermoorde onschuld, haar superieure zelfverloochening, haar gekwetste wagenwielgrote ogen, haar moedige lachje voor altijd zou laten varen! Tot ze eindelijk zou ophouden, hem een gevoel van nederlaag te bezorgen en hij niet meer voortdurend uit z'n humeur hoefde te raken vanwege z'n eigen getreiter.

'Ik wil een sigaret,' zei Max uitgeput. Het hoofd liep hem aan alle kanten om. Op de tast pulkte hij een sigaret uit het pakje. De aansteker uit zijn zak nemend, voelde hij geknisper. Er bevond zich een brief in zijn zak. Ze had hem een boodschap meegegeven in zijn gevangenschap. Hoe zou haar belachelijke ultimatum luiden? Hij draaide de envelop tussen zijn vingers rond. Waar en hoe had ze hem dat gelapt?

Toen stak hij zijn sigaret aan en opende de envelop. Het was een kort schrijven dat in springerige machineletters over het grijze papier gestrooid was. Een schrijfmachine, dacht Max, ondanks zichzelf geïmponeerd. Ze moest het goed voorbereid hebben. Ze moest die brief al geschreven hebben voordat ze vertrokken waren. Ze had haar zaakjes van te voren piekfijn geregeld. Ze zou er tranen met tuiten om huilen.

'Lieve Max,' begon de brief bij het licht van zijn aansteker, 'ik ben een gevangene. Mijn liefde voor jou is een gevangenis. Nooit wijken de muren, nooit is er ontsnapping mogelijk. Soms rebelleer ik ertegen. Soms zou ik mijn cel willen slechten. Ik weet dat ik jou pijn doe met mijn opstandigheid, liefste. Maar weet jij op jouw beurt, dat de muren nooit zullen wijken en er nooit ontsnapping mogelijk zal zijn. Mijn liefde voor jou is sterker dan ik zelf ben. Ik kan me er misschien beter aan onderwerpen en de gevangenis beschouwen als mijn huis, mijn bestemming, mijn reden van bestaan. Ja, dat wil ik! Val me niet hard om mijn woorden, maar accepteer mijn hart. Jij, die eenzelfde gevangenis ervaart als ik, zult dit kunnen begrijpen. Voor altijd de jouwe, Laurie.'

Max herlas de brief totdat hij hem uit zijn hoofd kende en stak hem toen in zijn zak. Het schijnsel van zijn gasvlammetje belichtte een witporseleinen schakelaar, niet halverwege de trap links, maar rechts naast de deur. Hij draaide hem om. Aan zijn voeten raakten de muizen een ogenblik versteend. Toen doken ze schielijk onder potten en emmers weg.

Hij zou beginnen met een paar vriendinnen van haar op te bellen. 'Laurie is de laatste tijd zichzelf niet,' zou hij zeggen. 'Ze is overspannen. Ze heeft rust nodig. Je kunt voorlopig maar beter niet telefoneren of langskomen. En als ze contact met jou zoekt, moet ik je ervoor waarschuwen dat ze lelijk liegt, de arme lieverd.'

En als ze haar stille dagen zou zoeken te vullen met winkelen, zou geen winkelier haar cheques meer accepteren. Men zou met hem te doen hebben. 'Heb je al gehoord dat die arme man zijn rekening heeft moeten laten blokkeren omdat dat koopzieke mens met geld loopt te smijten? Hij ziet bleek van de zorgen. We moeten hem maar eens op de borrel noden om hem af te leiden van zijn zorg om zijn krankzinnige vrouw.'

Hij zou haar bloembollen uit de tuin graven zodat ze maand na maand vruchteloos op haar narcissen zou wachten. 'Maar liefste, die heb je toch helemaal niet geplant?'

Maar allereerst zou hij een bontjas voor haar kopen. En misschien een nieuwe stofzuiger. Ze zou niets op hem aan te merken hebben.

De mededeling dat haar echtgenoot zich achter gesloten deuren bevond, had een eigenaardig effect op Laurie. Ze kreeg de slappe lach. Ze kon eenvoudig niet stoppen, hoe iedereen haar ook aanstaarde. 'Het is heel komisch,' bracht ze hikkend uit. 'Ik ben blij dat je er zo over denkt,' zei Ebbe koud.

Lauries schouders begonnen opnieuw weerloos te schudden. Ze vond het het leukste ongeluk dat ze ooit meegemaakt had. Meestal was zij het, die overal beklemd raakte en om hulp moest schreeuwen. Ze proestte. Ze snoof. Ze zei: 'Hèhè. Nou, jullie klusjesman zal die deur wel ooit weer openkrijgen.'

Als gold het een wachtwoord, zo klonk er meteen een rauwe kreet van boven in het huis. Gierend hijgde Laurie: 'Zo te horen zit hij zelf ook klem.' Ze trappelde met haar voeten. Ze moest haar buik vasthouden. Midden in een nieuw salvo drong het tot haar door dat zij de enige was die lachte. Hahaha, gierde ze willoos door de holle stilte, hohoho. Er zat niets anders op dan de hele bui uit te lachen. Ze kreeg er steken van in haar zij. De tranen biggelden haar over de wangen, ze had in geen jaren zo gelachen. Het was net zoiets als bonbons eten: de eerste smolt zo verrukkelijk op je tong dat je door moest blijven gaan tot de hele doos leeg was en je misselijk op de bank zat. 'Pardon,' zei Laurie, vol schaamte tot zichzelf komend. 'Ik weet niet wat me ineens bezielde.'

De anderen bekeken haar nog steeds alsof ze een zeldzaam smerig insekt was. Niemand sprak. Alleen Wibbe liet zich nogmaals horen.

Laurie kuchte. Ze streek haar haar achter haar oren. 'Is er iets met Wibbe?' vroeg ze onzeker.

'Is er iets met Wibbe?' herhaalde Ebbe met veel geluid. 'Die arme man heeft een aanval van waanzin. Leuk hè? Lachen om de dorpsgek.'

Laurie wou zeggen dat ze het niet zo bedoeld had, maar de angst sneed haar de pas af. 'Is ie gevaarlijk?' vroeg ze.

'Dat weet je maar nooit,' zei Biba afgemeten.

'Ik denk trouwens van wel,' zei Ebbe. 'Wibbe kennende is hij tot alles in staat.'

Laurie hoefde beslist niet meer te lachen. Ze wilde dat iemand een koevoet haalde, zodat ze Max uit de kelder kon bevrijden.

'Gekke mensen,' zei Ebbe, 'zijn ont-zet-tend eng.'

'Je kunt,' zei Biba, 'beter uit hun buurt blijven.'

'Normale mensen,' zei Ebbe, 'moeten absoluut voor ze uitkijken.'

'Anders,' zei Biba, 'raken ze misschien besmet.'

'Eigenlijk,' zei Ebbe tegen Biba, 'zijn normale mensen ook knap eng.'

'Eigenlijk,' zei Biba tegen Ebbe, 'weet ik niet wie er hier het meest geschift is.'

En toen draaiden ze zich op hun hielen om en wandelden de keuken uit, waarbij ze hun armen zo ongeveer over de grond lieten slepen, een scheve schouder optrokken en verschrikkelijk hinkten.

'Ung,' zei Ebbe.

'Kaka,' antwoordde Biba.

'Quasimodo,' zei Lupo mat. 'Een grapje.'

Schuld en schaamte overspoelden Laurie. Ze zei: 'Het spijt me. Ik wou jullie vriend niet belachelijk maken. Ik lachte voornamelijk om Max.'

Zonder op te zien zei Lupo: 'We houden van Wibbe zoals hij is. We zullen altijd voor hem zorgen. We zullen hem altijd beschermen. Hij mag altijd bij ons blijven. Vergis je niet: we krijgen er een hoop voor terug. Hij is buitengewoon aan ons gehecht. Hij bezorgt ons het gevoel dat we ergens voor nodig zijn. Ergo, net als Marrie.'

'Het lijkt me moeilijk om van het imperfecte te houden,' zei Laurie onhandig. Ze hoopte dat hij het als een compliment zou herkennen. Max zei dat vaak en keek daar zelfvoldaan bij.

'Soms,' zei Lupo, 'vrees ik dat het juist charme heeft. Je steekt er zelf zo groot en mooi en competent bij af.'

Die bekentenis ontroerde Laurie zo, dat ze met gestrekte armen op hem af liep. Eindelijk sloeg ze haar armen om zijn hals. Ze legde haar gezicht tegen zijn borst. Ze dacht: Nog nooit is er iemand zo lief voor me geweest. Hij voelde klam aan. Hij bewoog vurig onder haar omhelzing. Schor zei hij: 'Ik laat je nooit in de steek.' Nee, hij zei: 'Ik kan mijn moeder niet in de steek laten. Ze is... ze is een beetje in de war vanwege Evertje Polder. Het is mijn schuld als haar iets overkomt.'

Ze voelde dat hij zijn hartstocht bijna niet meer in bedwang hield: hij steigerde in haar armen. 'Zullen we ze samen gaan zoeken?' stelde ze lief voor. Ze hoopte dat Max hen in de kelder kon horen. Het was zijn verdiende loon dat de deur klemde.

'Dat lijkt me niet zo'n gelukkig idee,' prevelde Lupo. Op hetzelfde moment scheurde hij zich van haar los. Daar ging hij, min of meer dwars door de gazen deur heen.

Laurie wachtte niet al te lang. Het ingewikkelde, dacht ze rozig, was dat je nooit zeker wist wat een ander van je verwachtte. Je moest maar hopen dat je het juiste deed. 'We hoeven elkaar niets te bewijzen, lief,' riep ze en zette de achtervolging in. Ze zag hem nog net op zijn ontroerend lange stelten de boszoom in glippen.

Hoe lang geleden was het niet dat ze zo gerend had! Dat ze vervoering gekend had! Dat ze meegesleept was! Ze liep alsof ze tot het einde van haar levensdagen door zou hollen. Ze schreeuwde van plezier. Nooit zou ze meer moe en hangerig zijn. Nooit zou ze meer in haar kussen huilen. Lege, doelloze dagen, ze lachte erom. Hardop lachte ze erom.

Haar sterke benen trapten de wereld onder haar weg. Takken haakten in haar haren. Haar hakken zakten weg in de mulle grond. Ze lachte en ze wist waarom ze lachte: ze had de wind in de zeilen. Nog een paar stappen en ze zou zweven. Lachend zou ze haar nieuwe zelf binnenvliegen. Met iedere stap en iedere sprong verwijderde ze zich verder van haar oude, armzalige leven. Hoog sprong ze, haar armen wijd, haar hoofd achterover, ver sprong ze, ze danste, ze wervelde het geluk achterna, het geluk tegemoet.

Toen struikelde ze over een wortel en viel ze op haar gezicht. Ze landde plat tussen de struiken. Het prikte aan alle kanten.

'Lieve help,' zei Laurie, zich loswringend uit de greep van ontelbare doorns en sprokkels. Ze grijnsde. Ze hijgde. Ze bleef zitten waar ze zat. Haar hoofd gonsde alsof ze de hele avond gedanst had. Ze ging liggen. Ze kwam weer overeind. Ze vertelde de wortel die haar pootje gelicht had: 'Ik ben zó gelukkig.' Ze vergat gewoon, dat het op hete zomeravonden vaak onweert.

'Straks krijgen we noodweer,' zei Ebbe. Het hele bos rook er al naar.

Ze had geen zin om helemaal nat te worden. Ze hoopte dat Biba gelijk had en ze Agrippina zouden aantreffen op het graf van Evertje Polder. Het kon best, moest Ebbe toegeven, dat hun herdenkingsceremonie Agrippina geïnspireerd had. Ze herinnerde zich haar gesprek met Lupo. De aarden wal. 'Zo zijn de eerste menselijke nederzettingen ontstaan,' had Lupo met zijn vertelstem gezegd. 'Dat waren feitelijk de begraafplaatsen der voorvaderen. Jagende en verzamelende nomadenvolkeren keerden er ieder jaar weer om de doden te eren die niet meer konden trekken. Wat begon als een stad voor de doden, werd zo een stad voor de levenden: men ging zich metterwoon op deze vaste plaatsen vestigen.'

Metterwoon, dacht Ebbe. Het was inderdaad niet uitgesloten dat Agrippina zich met een thermosfles en een slaapzak op de resten van Evertje Polder geïnstalleerd had.

Ze kenden het bos op hun duimpje. Er was niets tussen de donkere bomen dat hen vrees aanjoeg. Zonder mankeren vonden ze de kortste weg naar de aarden wal. Een verdikking wees op de aanwezigheid van Evertje Polder. Van Agrippina daarentegen was geen spoor.

'Jouw probleem,' zei Ebbe, scherp van teleurstelling, 'is dat je niet helder kunt nadenken, Biba. Nou ja, laten we maar van de gelegenheid gebruik maken om afscheid te nemen van Evertje Polder.' Ze raakte de uitstulping aan. De droge aarde was rul onder haar hand.

'Dag, Evertje Polder,' zei ze.

'Dag, Evertje Polder,' zei Biba.

Dat was dan weer dat.

'Was iedereen maar een hond,' zei Biba treurig. 'Ik zou best iemands hond willen zijn.'

'Ik ben liever een honds iemand,' zei Ebbe. 'Men zou kunnen zeggen dat ik mijn doel bereikt heb. Wat heb ik nog te zoeken in het leven? Ik ben klaar!'

'Niet doen,' zei Biba. Het huilen stond haar nader dan het lachen. Had Sterre zichzelf ook als klaar beschouwd? Als af? Was er voor haar verder ook niets meer te doen geweest? 'Ik weet nog steeds niet helemaal waarom ze dood is,' zei ze hulpeloos.

'Je kent mijn theorie,' zei Ebbe. 'Het blijft natuurlijk gissen, maar volgens mij is ze gestorven omdat ze dacht daar iets moois mee te bewerkstelligen. Ze dacht dat de wereld beter af zou zijn zonder haar. Ze bedoelde het als een soort cadeau aan ons. Alsof, alsof ze goede krachten zou vrijmaken door te springen. Alsof ze liefde vrijmaakte. Dat heb ik je nou al honderd keer verteld. Ze was heus geen zeikerig klein meisje dat het leven niet meer aankon. Ze was een soort heldin. Jij denkt helemaal niet op de juiste manier aan haar.'

'Dat zal jij weten!' riep Biba uit. 'Wat weet jij van mijn gedachten? Ik wou d'r cadeau helemaal niet! Ik heb verdriet!'

'Ja, dat zal wel een beter soort verdriet zijn dan het mijne,' hoonde Ebbe.

'Je kunt niet over alles de baas spelen, Ebbe! Je kunt mij niet voorschrijven hoe ik aan Sterre moet denken!'

'Je doet het zoals ik zeg! Jij hebt nu eenmaal tuttifrutti in je kop! En anders blijf je met je poten van haar af!'

'Ze is ook van mij!' riep Biba.

Ebbe zei niets meer. Ze strooide geteisterde blikken om zich heen. Ze maakte er een enorme show van. Ik Ben Omringd Door Achterlijke Stommelingen, heette het programma. Het werd vaak vertoond. Toen het helemaal was afgewerkt, zei ze: 'Nou. Waar zit Agrippina met die kinderen? Waarom zeg je nou niks?'

'Omdat mijn ideeën volgens jou toch nooit deugen,' zei Biba.

'Gekke aap,' zei Ebbe. Ze woelde haar zusters haar in de war. Ze kneep in haar wangen. Ze commandeerde: 'Lachen!'

'Die kinderen,' barstte Biba los, 'liggen natuurlijk allang hoog en droog in bed en Agrippina zwerft ergens door de maneschijn, voor haar teint.'

'Zoiets idioots heb ik nog nooit gehoord,' zei Ebbe stellig. 'Ik heb een beter idee. Ik denk dat ze die jongetjes meegelokt heeft naar het kikkereiland. Ze hebben de roeiboot gepakt en ze zijn verdwenen. Maar ze zijn niet zo onbereikbaar als Agrippina denkt. We kunnen altijd nog zwemmen. Kom mee.'

'We kunnen beter even kijken of de roeiboot nog in het botenhuis ligt,' zei Biba logisch. Toen drongen de verschrikkelijke achtergronden van hun speurtocht weer tot haar door. 'Ebbe? Zouden wij nou net zo gek zijn als Agrippina? Ebbe? Weet je dat ze tegenwoordig iedere keer foto's van haar hoofd nemen? Zo gek zijn wij toch nog niet hè?'

Ebbe zette zich in beweging. Ze liep tamelijk hard. Ze schreeuwde: 'Wat heb je je nu weer wijs laten maken? Dit is het tijdperk van Lombroso niet meer. Afwijkende figuren hoeven tegenwoordig geen kenmerkende uiterlijkheden meer te vertonen.'

'Ik bedoel de binnenkant van haar hoofd,' hijgde Biba.

'Röntgenfoto's? Maar dat slaat toch ook nergens op? Ze kunnen je geest toch niet zien, al röntgenen ze zich een mik.'

'Maar Agrippina heeft het me zelf verteld. Eerlijk waar.'

'Het bestaat niet. Ze zal het wel verkeerd begrepen hebben.'

'Ebbe?'

Ebbe stond stil. 'Ja, en wij zijn ook behoorlijk gestoord,' schreeuwde ze. 'Dat zie je zo als je ons vergelijkt met onze gasten. Hoe is het met je faalangst? En je zwakke ego? En je nachtmerries? En je gebrek aan assertiviteit? En je minderwaardigheidscomplex? U is een parel voor de wetenschap, mevrouw!'

'Zeg jij maar niks,' blies Biba.

'Ik kamp met een volkomen gebrek aan alle genoemde syndromen. Dat is mijn syndroom,' snauwde Ebbe. 'Ze hebben de neuroses gewoon onevenwichtig over ons verdeeld. Jij hebt alle klonten.'

De rest van de weg holden ze. Alsof ze door de geest uit de fles achterna gezeten werden, zo holden ze.

In het botenhuis deinde de oude roeiboot krakend op het water van de kil. De nieuwe dollen staken lichtgevend af tegen het verweerde hout dat verzadigd was van het vuil van jaren.

'Een pak van m'n hart,' zei Ebbe zuur.

Biba groeide wel drie centimeter. In de tuin konden ze het licht in Mars kamer al zien branden. Achter het venster zat Marrie op haar bed, een uitdrukking van toegeeflijkheid op haar ronde gezicht. Bij de wastafel stonden de twee jongetjes te klieren.

'Zalige onschuld,' mompelde Ebbe. 'Heerlijke onbezorgdheid van de jeugd. Bezie hunne argeloosheid. En wij maar zorgen en sloven.'

'Nou, ze zijn in ieder geval terecht,' zei Biba. 'Nu Agrippina nog. Misschien zit die ook wel gewoon op haar kamer.'

In de keuken wachtte nog steeds de afwas. Op zolder wachtte nog steeds Wibbe. In de kelder wachtte nog steeds Max. Men moest, dacht Ebbe, de complicaties eenvoudigweg een voor een het hoofd bieden. Ze klopte op Agrippina's deur. Ze gluurde naar binnen. Ze draaide het licht aan. 'Ze is er helemaal niet!' riep ze verontwaardigd. 'Je gaat me toch niet wijsmaken dat ze even een foto van haar hoofd is laten maken?'

Maar ze moest bekennen dat het een hele opluchting was dat de kinderen alvast gelokaliseerd waren: nu wisten ze in ieder geval zeker wat Agrippina niet aan het doen was.

Wat Agrippina op dat moment wel deed, was haar neus snuiten en het zweet van haar voorhoofd wissen. Daarbij had ze de merkwaardigste visuele gewaarwordingen.

Een veelkleurige regenboog verhief zich uit het schuimende en kolkende oppervlak van de rivier. Bovenin werd een luikje geopend waaruit blauwe en roze vuistgrote babies tuimelden. Onder deerniswekkend gejammer rolden ze langs de zachtgetinte stralen en stuiterden als appelen op het bevroren water.

Uit de in het ijs springende sterren schoten limonadefonteinen tevoorschijn. Dik en rood en kleverig spoot het vocht op. Het moest iets begoochelends in het maanlicht zijn, dacht Agrippina, want een kind wist dat je 's nachts geen regenbogen had. Haar hoofd ging er onbedaarlijk veel pijn van doen.

Tegen Evertje Polder zei ze: 'Het komt natuurlijk omdat we de verkeerde kant zijn opgegaan. Niemand gaat ooit de richting van het dorp uit. We kunnen maar beter omkeren.' Ze raapte een stok op en gooide hem een tiental meters van zich af. In haar drift om hem te apporteren, rolde Evertje Polder zowat van haar korte pootjes. Haar staart zwaaide als een vlag terwijl ze door de bocht gierde.

'Jij wordt ook nooit wijzer,' zei Agrippina. Ze liep een tiental meters. Ze nam de stok van de kwispelende hond aan. Ze wierp hem voor zich uit. Ze liep, ze bukte en ze gooide en ondertussen lachte ze zich tranen om de overmoedige capriolen van de dwaze Evertje Polder. Pas toen het huis weer in zicht kwam, sinister en vreemd onder de niet-vertrouwde hoek gezien, herinnerde ze zich met welk doel ze was uitgegaan: ze moest haar medicijn hebben.

'Dat begrijp ik niet,' mompelde ze. 'Ik heb een kelder vol met medicijn. Waarom ben ik dan de deur uitgegaan?' En waar was die malle hond nu weer gebleven? Had ze haar net voor zich uit zien hollen en rats, rats, achter het huis zien verdwijnen? Voor alle zekerheid riep Agrippina: 'Evertje Polder!' Het weerklonk naargeestig over het water.

Agrippina huiverde. De nacht rook naar niet pluis. Het was niets gedaan, zo in haar eentje langs de dijk. Ze had te veel van zichzelf gevergd op haar lange, verwarde wandeling waarvan de details haar nu alweer ontschoten waren. Ze moest maar gauw Evertje Polder achterna, die nu onder haar schommelstoel op een van Sterres schoenen zou liggen kauwen. Sterre liet altijd alles slingeren.

En die twee anderen waren net zo erg, altijd met hun hoofd in de wolken, hun leven verdromend zonder dat er ooit iets uit hun handen kwam. Ze moest er eens met Lupo over praten. Ze zou zeggen: 'Ik ben hier voor mijn rust. Niet om die drie zottinnen op te voeden. Ik heb al genoeg te stellen met die halfgare Mar.' Lupo's antwoord was altijd hetzelfde: 'Maar je hebt ze zoveel te geven.'

Agrippina zou niet weten wat. Ze had haar liefde aan de Allesplakker geschonken en sedertdien was de voorraad op. Lupo mocht dan zo naïef zijn, te denken dat er nieuwe viel aan te maken, maar zij was wijzer: op is op en weg is weg. Het leven werd er trouwens een stuk eenvoudiger door. Je had alleen jezelf nog maar om je om te bekommeren.

De keuken was verlaten. Bo zat op de rand van de tafel zijn poten te wassen, maar hij telde niet mee. Hij had nooit genoeg geduld om naar haar verhalen te luisteren. Hij was louter van zichzelf vervuld.

'Evertje Polder!' riep Agrippina nogmaals. Het antwoord liet geen seconde op zich wachten. Daverend klonk het uit de kelder: 'Doe die deur open!' Agrippina maakte bijna een luchtsprong van de schrik. Bo lachte haar brutaal uit, ze zag hem wel, die gluiperd met zijn akelige grijns. 'Evertje Polder!' riep ze angstig. Opnieuw brulde de kelder: 'Doe die deur open!'

Agrippina sloop nader en luisterde aan de deur. 'Laat me eruit!' denderde het in haar oor. Ze week achteruit. Ze was toch zeker niet gek. Zo makkelijk liet ze zich niet neppen. 'Jij bent Evertje Polder helemaal niet,' zei ze verontwaardigd. Toen sloeg haar hart een slag over. Het moest een muis zijn. Het kon alleen maar een muis zijn. Iemand had haar muizen betoverd. Haar muizen wilden eruit! Ze zouden uitbreken om zich te wreken. Ze wilden háár, ongetwijfeld.

Agrippina wachtte de invasie van haar elixerdragers niet af. Ze rende de gang in en trok de deur achter zich dicht. Wel honderd keer. Had ze tegen Wibbe gezegd. Dat hij hun sloten. Met rust. Moest laten. Zwaar ademend struikelde Agrippina door de hal. Misschien zouden haar belagers genoegen nemen met Bo, hun natuurlijke vijand.

Door de spleet onder Marries deur scheen veilig licht. Marrie zou haar beschermen, haar verdedigen, haar troosten, dit spookuur met haar doorstaan, onderwijl de uil zat in de olmen zingend tot ze er desnoods bij neer zou vallen. Zonder kloppen vloog Agrippina naar binnen.

De kamer was net zo leeg als de keuken. Kwelkrachten hadden het huis ontvolkt of z'n bewoners onzichtbaar gemaakt. Of heerste er een dodelijke epidemie? Agrippina greep naar haar kloppende hoofd. Zij zou het volgende slachtoffer zijn, ze kon het duistere al onder haar schedel voelen woekeren. Zie, daar dreef reeds een kadaver in de wastafel. 'Als je niet bereid bent, je gevoelens met anderen te delen, zul je nog eens eenzaam sterven,' zei de dokter altijd tegen haar. 'Iedereen heeft in z'n leven wel iets meegemaakt wat het schijnbaar rechtvaardigt dat hij of zij zich verder afsluit voor contacten. Het is de kunst daar niet in te blijven steken. Je hoort anderen niet te straffen voor wat jou door een eerdere passant is aangedaan.'

Een eerdere passant! De Allesplakker, dat overweldigende mirakel van een man, een passant noemen! Van het oordeel van zo'n stomkop hoefde je je verder ook niets aan te trekken. Eenzaam sterven — ze had er niet de vaagste intentie toe.

'Ik ga slapen. Als ik wakker word, is alles weer gewoon,' vertelde Agrippina de suizende stilte. Ze snelde naar haar kamer. Ze nam niet eens de tijd om zich uit te kleden, zo'n haast had ze om het snel morgen te doen zijn. Met al haar roesjes en kantjes stapte ze haar bed in, trok de dekens tot over haar oren en vertelde zichzelf een kalmerend verhaal.

Ze kende de prachtigste verhalen. Over de kok van Alexander

de Grote die bij toeval de bron van de eeuwige jeugd vond toen de vis die hij voor de maaltijd schoonmaakte, in het water ineens weer begon te spartelen. Omdat hij weigerde om aan de koning te vertellen waar de bron zich bevond, werd hij voor straf in zee gegooid waar hij tot op heden ronddoolt.

Met Gilgamesj, de koning van Uruk, liep het evenmin goed af. Hij wist het onsterfelijkheidskruid weliswaar te bemachtigen, maar een slang ontstal het hem, vrat het op en verwierf in zijn plaats het eeuwige leven. De geliefde van Eos, de Griekse godin van de dageraad, verging het al niet beter. Eos haalde Zeus over om haar minnaar onsterfelijk te maken maar vergat daarbij ook om z'n eeuwige jeugd te vragen: tot in alle eeuwigheid zal zijn aftakeling voortduren. Wel honderd van zulke geschiedenissen kende Agrippina, genoeg om de nacht mee door te komen.

Zou het de hele nacht moeten duren voordat ze de weg eindelijk terugvond, vroeg Laurie zich af. Ze had alle stadia van paniek doorleefd die horen bij het verdwaald zijn in een nachtelijk bos. Rondstrompelend op een schoen met een gebroken hak was ze thans aangeland in de fase van het als een zombie in beweging blijven. Gevoel voor tijd en richting hoorde daar niet meer bij. Slechts één ding was nog duidelijk: ze ontving haar gerechte straf.

Ze had hier zelf om gevraagd, zoals Max zou zeggen. Had ze zich aan de spelregels van het fatsoen gehouden, ze zou nu veilig naast hem in bed gelegen hebben en geen ander probleem hebben dan hoe ze moest voorkomen, hem te hinderen met lijfelijk contact. Ze kende haar eigen geluk niet, zei Max altijd. Ze had geen talent voor geluk. Ze was een miserabele bangerd, gedoemd tot gesnotter en gezeur. Ze kon zich dus maar beter schikken in haar lot: er was toch geen situatie denkbaar waarin het geluk op haar hand zou zijn. Zei Max.

Dat licht dat ze daar tussen de bomen zag, zou wel een luchtspiegeling zijn. Het bos was broeierig, haar geest verhit. Haar bekken deed pijn van het scheef op de ene hak lopen — dat was tenminste een controleerbare werkelijkheid.

Het ijzeren hek waar ze met een klap tegenaan liep, bestond

eveneens werkelijk. Met beide handen omvatte Laurie de spijlen. Erachter werd door een onbekende bron diffuus licht verspreid. Het duurde even voordat ze het hek en het schijnsel bij elkaar had opgeteld. Hier moesten mensen wonen. Opgewonden kwam ze weer in beweging, zich vasthoudend aan de maanbeschenen spijlen. Zolang ze het ijzer aanraakte, kon het niet verdwijnen. Als een in het oneindige voortwoekerende klimop doorslingerde de omheining het bos. Ze liep wel een kilometer, zich stap voor stap vasthoudend aan het teken van menselijke beschaving. De begroeiingsdichtheid nam af. Een landweg werd zichtbaar. Daar waar de weg het hek raakte, bevond zich een smeedijzeren poort in de afrastering. Deze nu was op slot.

Vlak voordat ze in tranen zou uitbarsten, zag Laurie de bel. Hij was in een wit kunstof doosje gevat. Ze drukte erop. Ze moest er maar op vertrouwen dat er nu ergens aan het schimmige uiteinde van de lange oprijlaan een schel rinkelde.

Na enkele seconden begon het doosje te kraken. 'Wie daar?' knisperde het. 'Ik!' schreeuwde Laurie onvoorbereid. Het gekraak brak abrupt af. Net toen ze als een wilde op de bel begon te timmeren, klonk er een zoemer. Tegelijkertijd deelde het doosje mede: 'Komt u maar.'

Ze duwde tegen de poort. De zoemtoon sloeg af. 'Sluit u het hek?' vroeg het doosje.

Langs de oprit stonden op grote afstand van elkaar enkele lantaarns. Een flauwe bocht leidde naar een portierswoning. Achter het venster zat een man met een uniformpet op. Hij schoof het raam open en vroeg: 'Wat kan ik voor u doen?'

Laurie deed haar mond open. Ze zei: 'Haha. Hoho.' Ze werd overvallen door een giechelbui, nog onbedaarlijker dan eerder op de avond.

De portier klapte het raam toe. Hij verdween uit haar gezichtsveld. Ze stond nog steeds te schuddebuiken toen hij haar bij haar elleboog pakte. 'Het spijt me,' perste Laurie er met grote moeite uit. Ze sloeg voorover en kletste op haar knieën. Er werd zachtjes aan haar arm getrokken. Terwijl de tranen haar over de wangen rolden liet ze zich meevoeren.

De aanblik van het grote witte huis maakte het alleen maar erger. Ze kwam het bordes bijna niet op, zo slap was ze van het lachen. Ook bij deze deur was er sprake van een kraakdoosje. De portier mompelde erin. Er zwom een hoge witte gang voor haar ogen. Er was een kamertje. Er was een stoel. Het was zo heerlijk om eindelijk te zitten, dat Laurie met volle kracht aan een nieuwe lachbui begon. Ze kreeg er de hik van. Het was buitengewoon grappig.

Er doemde een gezicht op. Het vroeg: 'Bent u onder invloed? Gebruikt u medicijnen? Hebt u gedronken?'

Het was een aardig jong gezicht met blonde krullen er omheen.

'Neemt u me niet kwalijk,' hikte Laurie.

'Doet u maar rustig aan,' zei het gezicht luid en duidelijk. Op hetzelfde moment ontving Laurie een klinkende draai om haar oren. Zowel haar hik als haar lach waren meteen verdwenen. Ze had het zeer benauwd. Maar naarmate de druk op haar borst verminderde, nam haar blikveld toe. Ze bevond zich in een soort kantoortje. Een bureau met papieren en een kaartenbak. Een klok op kwart voor twaalf. Een verpleegster met een glas water in haar hand. Een verpleegster? dacht Laurie. Dankbaar dronk ze het glas leeg. Ze begon zich nogal belachelijk te voelen. 'Ik moet een volslagen krankzinnige indruk op u maken,' zei ze verlegen.

'Dat geeft niets,' zei het meisje vriendelijk. 'Ik zal een heerlijk bed voor u laten klaarmaken. We gaan eerst maar eens lekker uitrusten. Morgen kunt u met de dokter praten.'

'Maar ik ben niet ziek!' riep Laurie uit.

'Nee,' zei het meisje glimlachend. Ze begon op een kaartje te schrijven. 'Ik geef u iets kalmerends, zodat u fijn kunt slapen. Dat is het enige wat op dit moment telt. Zit u maar nergens over in. Gaat u met me mee?' Ze legde haar hand al op de deurkruk.

Laurie bleef stokstijf zitten. 'O jee,' zei ze, 'dit is een heel raar misverstand. Ik heb geen verpleging nodig. Ik bedoel, ik wist niet dat dit een ziekenhuis was.'

'U kwam zomaar even langsgewandeld,' zei het meisje geduldig.

'Luister,' zei Laurie die een nieuwe aandrang om te giechelen voelde opkomen. 'Ik waardeer uw bezorgdheid. Ik kan me voorstellen dat u denkt dat er eerste hulp nodig is wanneer iemand zo over z'n toeren bij u binnenvalt. Maar dat waren alleen de zenuwen, ziet u.'

'Dat begrijp ik volkomen,' zei de verpleegster. 'En ik kan u natuurlijk niet dwingen om hier te blijven. U bent hier uit eigen vrije wil naar toe gekomen. Dat is een hele stap.'

'Zeg dat wel. Ik heb er uren over gedaan,' zei Laurie. Ze vermande zich. 'Ik ben alleen maar verdwaald,' legde ze uit.

'U bent nu veilig. Heus, het is heel flink van u dat u hebt durven komen. Als u dat prettiger vindt, hoeft u niet tot morgen op de dokter te wachten. Ik kan de dienstdoende psychiater meteen voor u bellen.'

Ze liet de deurknop los en begaf zich naar de telefoon op het bureau. Ze nam de hoorn van de haak.

'U begrijpt me verkeerd,' zei Laurie. Toen sprong ze op. 'Een psychiater?'

'Kunt u even naar de receptie komen, dokter?' vroeg de verpleegster.

'Ik mankeer niets! Ik kom alleen maar de weg vragen!' zei Laurie verbijsterd.

'De dokter zal hem u wijzen,' suste het meisje. 'Weet u wat, ik neem uw gegevens vast even op. Naam?'

'Zuster,' zei Laurie, 'u gaat me toch niet vertellen dat ik hier in een psychiatrische inrichting terecht ben gekomen?'

Tegelijkertijd kwam de dokter binnen. Hij was kaal, hij droeg een halve bril en hij zag er moe uit. Hij gaf Laurie een hand.

'Daar zijn we dan,' zei hij.

'Het spijt me verschrikkelijk,' zei Laurie. 'U hebt vast wel iets beters te doen dan helemaal voor niets hierheen te rennen. Dit is een idioot misverstand. Ik ben helemaal niet gek. Nou ja, dat zal iedereen hier wel zeggen.' Ze zweeg verward.

'Laten we bij het begin beginnen,' zei de dokter terwijl hij over zijn voorhoofd wreef. 'En gaat u zitten.'

'Graag, want ik ben bekaf. Ik heb uren door het bos gelopen. Ik ben de weg kwijtgeraakt. Ik had er geen idee meer van waar ik was, totdat ik uw lichten zag branden. Het enige wat ik van u wil, is horen hoe ik weer terugkom. Het spijt me dat ik zo'n hoop gedoe veroorzaak.'

'U bent wel erg ver van de bewoonde wereld afgedwaald: het meest dichtbijzijnde dorp is twintig kilometer verderop. Is uw wandeling daar begonnen?'

'Welnee,' zei Laurie. Ze voelde zich inmiddels knap onbehaaglijk. Ze moest haar uiterste best doen om haar zenuwen de baas te blijven en evenwichtig te lijken.

'Waar komt u dan vandaan?' vroeg de dokter vriendelijk. 'Want ziet u, er is helemaal niets tussen onze inrichting en het dorp.'

'U gaat me toch niet vertellen dat het huis aan de rivier niet bestaat? Ik heb er een hele middag en een hele avond doorgebracht,' riep Laurie uit.

'Onze dependance?' vroeg de dokter. Hij begon te lachen. 'Ja, dan begrijp ik het. U bent niet de eerste bezoeker die op een avondwandelingetje in het bos verdwaalt. Sorry zeg. Ik dacht even dat u hier om hulp kwam. Zuster? Is er nog koffie?'

'Hemelse goedheid,' zei Laurie opgelucht. 'Ik was al bang dat ik in een dwangbuis zou belanden.'

'Dan hebt u wel een erg grimmig beeld van de psychiatrie,' zei de dokter vaderlijk. 'Terwijl u in ons fasehuis toch met eigen ogen hebt kunnen zien dat het tegenwoordig anders toegaat. We besteden erg veel zorg aan aandacht en resocialisatie. In vrijheid in plaats van achter gesloten deuren. We zijn zelf nogal trots op dat project.'

'Wilt u melk en suiker? Het spijt me als ik u zojuist de stuipen op het lijf gejaagd heb,' zei de verpleegster.

'U was juist erg vriendelijk,' zei Laurie hartelijk. Er was geen vuiltje aan de lucht. Ze had die lieve mensen wel willen omhelzen. Ze zocht iets aardigs om te zeggen, al voelde ze zich nog een beetje verward. 'Marrie lijkt me daar helemaal in haar element. En het is fantastisch dat Wibbe zo'n kans krijgt.'

'Het was zijn idee,' zei de psychiater. 'Hij is de geestelijke vader van het hele project, zoals u ongetwijfeld weet. We hebben er wel eens onze twijfels over gehad, moet ik u eerlijk bekennen. Eerst dat gesol met dat kindje…'

'Ik vrees dat ik u niet helemaal volg,' zei Laurie. Een eigenaardige misselijkheid rees in haar op. Ter hoogte van haar middenrif ontstond een rare bonk.

'O, kent u die geschiedenis niet? Toen het huis net geopend was, had Wibbe het idee dat er een klein kind aan de bezetting toegevoegd moest worden. U kent zijn theorie over het creëren van gezinsverbanden. Ik heb er persoonlijk wat moeite mee gehad toen hij dat kindje uit het tehuis voor ongehuwde moeders haalde. Voor zo'n baby met het syndroom van Down waren er verder toch geen adoptiemogelijkheden, dus hebben we het toegestaan. Ofschoon je er lang over kunt filosoferen of het voor het meisje en de pupillen wenselijk is om met elkaar opgescheept te zitten. Onze commissie van begeleiding heeft aan z'n accoord toen wel de voorwaarde verbonden dat Wibbe meer dan oorspronkelijk de opzet was, op het geheel zou toezien. Hij meende zelf dat de aanwezigheid van een arts het project zou kunnen schaden. De patiënten zouden zich gecontroleerd voelen en gefrustreerd raken in hun zelfvertrouwen. Het was al belastend genoeg voor ze om zich wekelijks hier in de inrichting te moeten melden, vond hij. Ze moesten de illusie hebben, geheel zelfstandig te zijn. Daarom gaf hij zich dus uit voor het gekke broertje, zal ik maar zeggen. Zijn methodes zijn uiterst onorthodox, zoals u weet. Je kunt er natuurlijk vraagtekens bij plaatsen, maar toch, het lijkt te werken. Als ze voor hun wekelijkse consult hier zijn, praten de pupillen vaak met zo'n toegeeflijk soort vriendelijkheid over hem. Ik moet er wel eens om lachen. Maar het is een feit dat ze de laatste jaren met sprongen vooruit zijn gegaan.'

'Met sprongen,' herhaalde Laurie. Haar keel was droog. Ze voelde dat ze glazig moest kijken. De psychiater merkte niets.

'Ja hemel,' zei hij, 'Sterre was natuurlijk… het was onvermijdelijk dat ze haar leven zou beëindigen. Wibbes stokpaard is dat men patiënten de vrijheid niet mag ontnemen om op hun eigen manier hun behoeften uit te werken. Maar leg dat maar eens uit aan de provinciale instanties die het project financieren. Het heeft weinig gescheeld of ze hadden na dat ongeval de geldkraan dichtgedraaid. En wat hadden die mensen dan moeten beginnen? Ik deel Wibbes mening dat ze niet terug kunnen naar de kliniek, naar de afhankelijkheid. Maar ze zijn geen van allen nog goed genoeg om echt op eigen benen te staan. De kwaliteit van hun bestaan,' zei de arts met klankvolle stem en toen onderbrak hij zichzelf. 'Bent u wel in orde?'

'Nee,' zei Laurie. 'Op het gevaar af dat u me alsnog voor gek verklaart: ik wist dit allemaal niet. Dit is een hele schok. Ik dacht dat Lupo, dat iedereen normaal was en Wibbe gek.'

'Het zou Wibbe plezier doen, dat te horen,' zei de psychiater. 'Maar als ik u vragen mag – als u dit allemaal onbekend was, bij wie kwam u dan vandaag op bezoek?'

Laurie antwoordde niet. Een gevoel van verlies overwoekerde al haar andere emoties. Ze had de sensatie dat zelfs de kleuren om haar heen verschoten. Geloof, hoop en liefde, ze was in een klap alles kwijt. Langzaam kwam er in die zee van leegte iets aan de oppervlakte. Het bloed steeg haar naar het hoofd. 'Grote genade!' schreeuwde ze.

'Kom, u bent zo aan het idee gewend,' suste de psychiater.

'Ze hebben hem op zolder opgesloten,' riep Laurie uit.

'Wat zegt u nu?'

'Ze hebben Wibbe opgesloten. Ze beweerden dat hij gek geworden was of zoiets. En mijn man zit in de kelder. Omdat de deur zogenaamd klemde. En mijn kinderen! Mijn kinderen zijn verdwenen. Samen met die oude dame, met Agrippina. Dokter, wat kan er allemaal aan de hand zijn?'

'Ik wil er niet aan denken,' zei de psychiater, terwijl hij onmiddellijk opsprong en naar de deur rende. 'Ik ga Wibbe meteen oppiepen.'

Naarmate de tijd verstreek ging Wibbe steeds beter begrijpen hoe de eerzuchtige doctor Frankenstein zich gevoeld moest hebben toen zijn eigen creatie hem het heft uit handen nam. Het enige wat hij te doen had, was naar de lichtgevende wijzers van zijn horloge te kijken en die bezigheid nam hem niet voldoende in beslag. Er was volop gelegenheid tot bespiegelen. De volgende Wet van Wibbe zou kunnen luiden: Van ledigheid is geen therapeutisch heil te verwachten.

Het mooie van de Wetten van Wibbe was natuurlijk hun onderlinge samenhang. Ze kwamen alle voort uit het absolute geloof in de altijd geldende handelingsbekwaamheid van ieder individu.

Om half een was er plotseling afleiding.

'Hier de kliniek, hier de kliniek. Wibbe, ontvang je mij?'

Wibbe nam de zender uit zijn zak. Hij moest een hoop overwinnen voordat hij het knopje indrukte en zei: 'Ik ontvang je.'

'Wat is daar gaande?' kwam zijn collega knetterend door.

'Hoe bedoel je?' vroeg Wibbe effen.

'Als er nog meer ongelukken gebeuren, kun je je winkel wel sluiten!'

'Ik begrijp niet waar je het over hebt,' sprak Wibbe op zolder.

'Misschien herinner je je nog wat ik gezegd heb toen bij haar laatste check-up die hersentumor van Agrippina aan het licht kwam. Ik heb gezegd: Onder de Decadron en de Symoron houden. Ik heb gezegd: Zover verdoven dat ze zich nergens meer van bewust is. Maar nee, jij was tegen medicamenteuze behandeling.'

'Dat ben ik nog. Dat is geen behandeling,' zei Wibbe verwilderd.

'Jij brengt liever een mensenleven in gevaar dan je kostbare project. We hebben er notabene verschillende specialisten bij gehaald die stuk voor stuk dezelfde mening waren toegedaan. Hersentumoren zijn linke dingen. De toestand van de patiënt kan van de ene dag op de andere dramatisch verslechteren. En wat denk je dat plotselinge hevige pijnen en spraak- of gezichtsstoornissen voor Agrippina's geestelijk evenwicht betekenen? Wat denk je dat er gebeurt als ze gaat hallucineren? Ze kan regelrecht haar oude wanen inschieten! Ze wordt weer net zo krankzinnig als toen we haar voor het eerst zagen.'

'Je opvattingen zijn me bekend,' zei Wibbe met zo vast mogelijke stem. 'De afspraak was dan ook, dat Agrippina onmiddellijk opgenomen zou worden zodra we verandering constateerden.

Dan zou zij in goede handen zijn en hoefde er voor mij geen démasqué te volgen. Als je midden in de nacht contact met me zoekt om te melden dat het volgens jou zover is, dan kan dat plan zoals overeengekomen in werking treden.' Was Agrippina met haar tumor op de een of andere wijze in de kliniek beland? Wat gebeurde er allemaal achter zijn rug om?

'Luister goed Wibbe,' klonk het zwaar uit de zender, 'ik weet alles. Ik ben volkomen op de hoogte. De situatie is je uit de hand gelopen. Je hebt je door dat stel labiele proefkonijnen van je op zolder laten opsluiten en ondertussen voert Agrippina de hemel mag weten wat uit met de kinderen van je gasten. Hun moeder is hier zojuist volslagen overstuur binnengekomen, na in haar eentje uren door het bos gedwaald te hebben.'

Wibbe moest twee keer kuchen. 'Zo,' kraste hij.

'Nu hoef ik jou natuurlijk niet uit te leggen hoe betrouwbaar Agrippina met kleine kinderen is, als haar schedel zowat van d'r kop geperst wordt door een gezwel,' schreeuwde de psychiater. 'Dit wordt een drama! Een schandaal! Ik start onmiddellijk een zoekactie. En verder laat ik vannacht nog iedereen bij je weghalen en hier in veilige bedden stoppen. Je project is je in je hoofd geslagen. Je bent totaal onverantwoordelijk bezig. Je hebt te hard je best gedaan om net zo'n patiënt te lijken als de rest en nou lopen ze allemaal over je heen. Je laat je zomaar achter slot en grendel stoppen!'

'Er wordt hier niemand weggehaald zonder inmenging van de commissie van begeleiding,' zei Wibbe met stemverheffing. 'Ik zal niet toestaan dat jij de rust van mijn pupillen verstoort, alleen maar omdat de een of andere hysterica amok komt maken!'

'Ze hebben haar man in de kelder opgesloten! Er heerst totale anarchie daar bij jou!'

'Hoor je me niet, dokter?' schreeuwde Wibbe. 'Het mens is hysterisch. Volslagen overstuur, zoals je eigen diagnose luidde. Gebruik je verstand, man. Ze is overspannen. Ze fantaseert. Heeft ze je niet verteld dat ze vandaag een ongeluk heeft gehad? Ze staat stijf van de stress. Ze overreageert.'

Antwoord bleef uit.

'Men zou,' vervolgde Wibbe, 'van een psychiater toch meer inzicht verwachten. Sinds wanneer hecht jij geloof aan de manische verzinsels van een doorgedraaide dame die zomaar uit de blauwe lucht komt vallen? Je denkt toch niet werkelijk dat ik hier op zolder in de boeien geslagen lig? Je denkt toch niet werkelijk dat Agrippina buiten rondzwerft om kinderen uit te zuigen?' Hij kreeg er kramp in zijn hart van. 'En een man in de kelder! Wat heeft ze nog meer te vermelden? Ligt er een lijk in de bezemkast? Regent het zilverlingen?' Kraaide de haan driemaal, vroeg Wibbe zich af. Hij begon in ademnood te raken. 'Komt het je niet allemaal wat grotesk over? Zou je het zelfs niet pathologisch kunnen noemen? Pathologische leugens? Zo te horen is ze er niet best aan toe. Het lijkt me relevanter! Dat je je! Om haar bekommert! In plaats van mij! De mantel uit te vegen!'

Na enige stilte kwam er uit het apparaat: 'Ja verdomme, ik draai een dubbele dienst. Ik loop hier al vanaf vanochtend acht uur rond.'

'Onverantwoordelijk,' zei Wibbe.

'Dus alles verloopt normaal bij jou?'

'Ik neem aan dat iedereen ondertussen in bed ligt. Moet ik ze soms toedekken, bij wijze van controle? Wat jullie in de kliniek niet willen erkennen, is dat mijn pupillen in alle omstandigheden toerekeningsvatbaar zijn. Ze hebben hun angsten en hun dwanggedachten, maar ze zijn beslist in staat om zichzelf in de hand te houden. Jullie zien te veel wilden onder een spanlaken. Onder een spanlaken wordt iedereen gek en gevaarlijk. Mijn pupillen zijn capabele mensen met problemen. Laat ze maar risico's lopen. Laat ze maar fouten maken. Dat doen jij en ik ook. Jullie probleem is dat jullie mensen te veel willen beschermen. Bescherming leidt tot beknotting! Beknotting tot verlamming!'

Zijn collega viel hem in de rede: 'Doe verder geen moeite. Ik ben op de hoogte van je theorieën. Mijn excuses voor dit onhandige optreden. Ik ben hard aan nachtrust toe. Ik zou het waarderen als we dit onder ons hielden.'

'Geen probleem,' zei Wibbe. 'Zie dat je in bed komt zodra je die hysterica behandeld hebt.'

Hierna kreeg Wibbe weer alle gelegenheid om na te denken over Frankenstein en andere ambitieuze mannen der wetenschap die gepoogd hadden de mensheid voort te stuwen. Ze hadden allemaal te kampen gehad met kwalijke neveneffecten. Had Lupo hem niet pas verteld dat de humanist Robert Oppenheimer, de leider van het research project waaruit de atoombom resulteerde, bij het ontploffen ervan verbijsterd de Bhagavad-Gita geciteerd had: 'Ik ben de dood geworden, de vernietiger van werelden?'

Men moest domweg accepteren dat er spaanders vielen, daar waar gehakt werd.

Lupo, Ebbe en Biba troffen elkaar in de keuken. Ze maakten de balans op. Laurie mocht dan spoorloos verdwenen zijn, haar kinderen waren tenminste in Mars kamer aangetroffen. Agrippina mocht dan nog altijd onvindbaar zijn, maar waar ze ook zat, ze zat er alleen. Dat was al heel wat.

'Als die kinderen terecht zijn, kan die man ook wel weer uit de kelder,' zei Lupo. 'En Wibbe zal ondertussen toch ook wel gekalmeerd zijn? We moeten onze krachten bundelen.'

Wibbe wenste niets te bundelen voordat hij vernomen had wat er allemaal aan de hand was. Hij deed nors en stug.

'Agrippina is een beetje kwijt,' vertelde Ebbe hem.

'En Laurie,' zei Biba.

'Als iedereen behoorlijk was blijven zitten, was er ook niemand zoekgeraakt,' zei Ebbe in het algemeen.

'En die kinderen? En Max?' vroeg Wibbe, die eigenlijk nog steeds een woeste aanblik bood.

Lupo begon hem vaderlijk op zijn schouder te slaan. 'Je wordt heus niet in de steek gelaten, Wibbe. Die jongetjes zijn met Marrie aan het spelen en Max zit even in de kelder.'

'Echt waar, Wibbe,' zei Biba. Ze had kringen onder haar ogen.

'Kijk dan zelf, ongelovige Thomas,' zei Ebbe terwijl ze de sleutel uit haar zak nam. Ze hoestte hartverscheurend toen ze het slot opendraaide. 'Ja, dat duurde even,' zei ze opgewekt.

Het was geen vrolijk weerzien. De stoom sloeg Max uit z'n oren. Zijn ogen stonden troebel. Hij zag eruit alsof hij bloed wilde doen vloeien. 'Waar zit ze? Waar is Laurie?' schreeuwde hij.

'Even een frisse neus halen,' zei Ebbe onvervaard.

Max liet zich log neer in de schommelstoel en ging een tijdje zitten briesen. Plotseling wendde hij zich tot Wibbe. 'Zijn die gekken soms besmettelijk?' vroeg hij luid.

Wibbe raakte zichtbaar in de problemen. Hij ging verzitten terwijl hij bloosde en in zijn nek krabde. Er verscheen een serie uitroeptekens op zijn gezicht.

'Wibbe toch,' zei Lupo perplex. 'Dat is niet mooi van je. Over zulke dingen behoor je te zwijgen. Zeker tegen vreemden. Je mag nooit je eigen nest bevuilen. Lao Tse: Zij die weten, spreken niet, zij die spreken, weten niet. Jonathan Swift: Vlugge sprekers zijn gewoonlijk langzame denkers. Wibbe toch,' herhaalde Lupo.

Ebbe ontblootte haar tanden. 'Ik praat nooit meer tegen je, vuile verklikker,' siste ze.

Biba zweeg. Ze ging dwars door Max heen zitten turen alsof hij niet bestond. Ze kreeg er tranen in haar ogen van.

Seneca, dacht Lupo: Hoe ge over uzelf denkt is veel belangrijker dan hoe anderen over u denken. Toch kon hij het niet nalaten om Max uit te leggen: 'We doen niets hoor.'

'Je ziet niets aan ons,' zei Ebbe. Ze trok haar hoofd scheef, stak haar tong uit en keek scheel. Ze hief een arm om zich in haar oksel te krabben. Daarna likte ze haar vingers af. 'Gna, gna, gna,' kakelde ze, 'ikkie lekker smaken.'

Wibbe stond op. Hij zag een beetje groen. Hij zei: 'Het spijt me.' Hij verliet de keuken. Hij ging wederom iets doen dat verboden was, maar onder deze omstandigheden niet laakbaar: hij ging voor alle zekerheid en in bange hoop Agrippina's kamer controleren.

Het was er zeer benauwd. Mirabele dictu, zou Lupo zeggen: Agrippina was er wel. Ze lag gewoon in bed. Ze gaf een vreemde geur van bederf af. Wibbe was zo afgemat dat hij op de rand moest gaan zitten. Het bed kraakte en Agrippina opende haar ogen. 'Hu!' gilde ze. Ze sloeg naar hem en begon zich overal te krabben.

'Ik ben het maar,' fluisterde Wibbe. Ze haalde zwaar adem, onregelmatig stotend en fluitend. Ze kwam half overeind, haar ogen wijd open. Kras, kras, raspten haar nagels.

'Je ligt er veel te warm bij,' zei Wibbe. Hij boog zich over haar heen. En zag de waanzin. Alsof de tumor een patrijspoort opengestoten had, zo spoot de waanzin uit haar ogen. Ze zag niets, ze hoorde niets, ze zei niets. Ze lag alleen maar wild te kijken en zichzelf stuk te krabben.

'Je laat me toch niet in de steek?' fluisterde Wibbe hees. Hij had de sensatie dat hij het gezwel kon horen oprukken, als betrof het een leger stampende laarzen. Totale verwoesting was het doel. Uitgerekend nu! Uitgerekend nu er een stel pottekijkers in huis rondliep! Wibbes woede was enorm. Ze moest onverwijld naar de kliniek, voordat hij met een sterfgeval opgescheept raakte. Hij kon zich al voorstellen hoe Max tegen de instanties tekeer zou gaan. Zijn project zou hem afgenomen worden. Hij had Max nooit in vertrouwen moeten nemen. Hij had niet mogen bezwijken aan de verleiding, een buitenstaander in te lichten over de wonderen die hij hier verrichtte.

Kraskras, deden Agrippina's nagels. Wibbe sjorde haar van het bed. Haar hoofd sloeg tegen het nachtkastje, maar ze bleef krabben alsof haar leven ervan afhing – en misschien was dat ook wel zo. Zolang ze bewoog, was er nog hoop dat ze niet onder zijn ogen aan het zieltogen zou slaan. Zijn eed van Hippocrates gebood hem haast te maken. Hij liet haar in een vreemde houding op de rand van het bed achter en snelde naar de keuken. Het goede nieuws, schreeuwde hij, was dat Agrippina terecht was, het slechte dat ze er beroerd aan toe was. Alleen Max bleef onaangedaan zitten met het gezicht van iemand die zich nergens meer over verbaast.

In de slaapkamer braken verwarde momenten aan. Biba huilde. Ebbe schreeuwde. Lupo riep Evertje Polder aan. Met z'n allen probeerden ze haar op haar rug te leggen en toe te dekken. Wibbe moest Agrippina de hele tijd weer rechtop zetten. 'Ze kan hier niet blijven! Ze moet naar het ziekenhuis! Ik ga haar wegbrengen!' brulde hij.

Biba klemde zich aan Agrippina vast, Ebbe klemde zich aan haar zuster vast en Lupo ging aan Wibbe hangen. Zo zat er weinig schot in de zaak. Voor het eerst sinds hij zich bewust was van zijn roeping als arts, zag Wibbe het nut van verdovende middelen in.

Had hij gekund, hij had de hele zwik lam gespoten. Hij rukte zich uit Lupo's greep en rukte Agrippina uit Biba's greep. Haar hoofd waggelde. 'Ahh!' zei ze. Iedereen stond een moment roerloos.

'Hoor je me moeder? Zie je me nog?' pleitte Lupo.

'Ze is helemaal van de weg weg,' zei Ebbe.

'Ik breng haar naar het ziekenhuis,' zei Wibbe andermaal.

Toen hij zwetend en met een dreunend hoofd zijn motor uit de schuur haalde, bliksemde het knetterend boven de rivier. Hij kon de geurige watermunt op de oever ruiken toen alles wit en zonder schaduwen oplichtte.

De eerste regendruppels vielen toen Lupo met Agrippina in zijn armen naar buiten kwam. Ebbe en Biba hingen aan zijn slippen.

'Haal een jas, voordat ze kou vat,' schreeuwde Lupo die met zijn vracht in het zijspan probeerde te klimmen.

Wibbe moest weer ingrijpen. 'Dat gaat niet,' bulderde hij, 'zo krijgen we een ongeluk. Jij kunt niet mee.'

'Maar het is mijn moeder!' riep Lupo uit.

'Kom maar, Agrippina,' zei Ebbe, een jas om haar heen slaand.

'Kom maar, oom Lupo,' zei Biba, een arm om hem heen slaand.

Ze stonden nog steeds met z'n drieën in de regen toen Wibbe allang was weggeronkt.

'Het is mijn schuld! Ik had Evertje Polder niet moeten afmaken!' riep Lupo.

'Het is onze schuld! Ze is ziek geworden van ons ritueel,' jammerde Biba.

'Het is vast niemands schuld. Ze wordt wel weer beter, hè oom Lupo?' vroeg Ebbe.

Lupo keek in de naar hem opgeheven natte gezichten. Oliver Wendell Holmes: Het leven is een dodelijke ziekte. In de verte rolde rommelend gedonder aan. Vergilius: Wat er ook gebeurt, men kan elk lot overwinnen door het rustig te dragen. 'Laten we naar binnen gaan,' zei hij.

'Er gebeurt veel te veel voor één dag,' klaagde Ebbe. 'Ik denk dat ik maar vast doe alsof het een herinnering is, anders word ik er helemaal naar van. Wil er iemand anijsmelk?'

Ze hadden hun bekers al half op, toen ze constateerden dat het nu weer Max was, die verdwenen was. Het was om doodziek van te worden, al was het verder geen persoonlijk verlies.

'Wacht, ik hoor hem. Hij slaat met onze deuren,' zei Ebbe.

'Hij zoekt z'n kinderen,' zei Biba. Tezelfdertijd kreeg ze een verschrikkelijke gedachte: Agrippina plotseling verschenen – de kinderen pardoes verdwenen. Ze hoefde Max z'n vraag niet eens meer te horen. Ze wist het zeker. En niet alleen de kinderen waren verdwenen. Ook het blinkende vleesmes hing niet meer vertrouwd aan het rek boven het fornuis.

Ze hadden de vijand overmeesterd en gevankelijk afgevoerd. De vijand was de vijand vanwege een groot aantal omstandigheden. Hij kon geen toon houden. Hij bezat goederen en werd omringd door voordelen die hem rechtens zijn positie niet toekwamen. Hij had een weerloos creatuur voor eigen vermaak gekweld en ondergedompeld tot de dood erop volgde. Hij had zich verraderlijk onttrokken aan het sluiten van een verbond en had daardoor nodeloos bloed doen vloeien. Hij gaf zich voor een ander uit. Zijn vermomming was die van de goden, terwijl hij aanwijsbaar tot een lagere soort behoorde. Een wrede straf was gezien het veelvoud van zijn vergrijpen en de verdorvenheid van zijn karakter gerechtvaardigd. Hier moest een voorbeeld gesteld worden.

Bazuinen en trompetten klonken, het water klotste en het vermolmde hout kreunde.

Ten gevolge van de regen was de onverharde weg vrijwel meteen zo goed als onbegaanbaar. Wibbe zwabberde van links naar rechts door de blubber, aan alle kanten bedreigd door neerslaand en weggorgelend water. Hij joeg door kuilen en plassen, met doodsverachting bonkte hij door kuilen, zijn nieren werden door elkaar gestampt en zijn hart zat in zijn keel.

Maar de jonge dokter ontzag noch spaarde zichzelf. Zijn toewijding was voorbeeldig. Zichzelf veronachtzamend vocht hij met de elementen om een oude voddenbaal te redden voor wie zelfs Albert Schweitzer zijn neus zou ophalen. Zo niet dokter Wibbe.

Geen zee ging dokter Wibbe te hoog als het om het heil van zijn patiënten ging. Alleen het beste was goed genoeg voor hen die onder zijn hoede waren gesteld.

'In goed vertrouwen heb ik mijn jongens onder uw hoede gesteld. Als ze iets overkomt, houd ik u verantwoordelijk. Mijn advocaat,' hijgde Max en moest toen stilstaan omdat hij een steek in zijn zij had.

'Krankzinnigen zijn nergens verantwoordelijk voor te houden,' schreeuwde Ebbe. Natte takken sloegen haar in het gezicht. Aan haar arm hing Biba die zich verbeeldde dat het verdwijnspook haar eveneens tot onzichtbaarheid zou doen vervliegen als ze zich niet aan haar dierbaren vastklampte. Ook Lupo, aan het hoofd van de reddingsbrigade, werd door angst gekweld. Agrippina, Laurie en haar jongetjes, Marrie, met hen allen zou het slecht aflopen en als straf daarvoor zou hij duizend doden moeten sterven zonder ooit verlost te worden van zijn schuld. Hij zou pas mogen sterven als hij geleerd had, voor anderen te leven.

In de achterhoede schreeuwde Max verwensingen en dreigementen. 'Als mijn zoons ook maar één haar gekrenkt wordt,' krijste hij. Ebbe stond zo pardoes stil dat Biba over haar struikelde en languit in de modder smakte waar ze bleef liggen en jammerde.

'Wie zou jouw zoons een haar moeten krenken,' schreeuwde Ebbe. 'We lopen hier niet door de bagger te plenzen om ons door jou te laten beledigen!'

'Die mongool,' brulde Max. 'Die idioot is geen gezelschap voor mijn zoons! Ik wil niet dat mijn kinderen blootstaan aan de invloed van een kwijlende imbeciel. Ze hebben hier al genoeg meegemaakt dat schadelijk is voor hun ontwikkeling. Ik wil niet dat ze met nog meer perversiteiten geconfronteerd worden.'

'Heer, bescherm hun tere zielen, anders worden ze net zoals wij,' riep Ebbe honend.

Biba, die er met haar gestreepte moddergezicht vreselijk uitzag, hield op met huilen. Ze zei: 'Als die kinderen van jou echt zo verstandig zijn, dan schuilen ze ergens. Alleen wij zijn zo gek om heen en weer te rennen door dit noodweer.'

Noodweer noch lijfsgevaar kon dokter Wibbe van zijn plicht afhouden. Modderklonten opwerpend stoof de jonge mensenredder door de poort van de inrichting. De verpleegster die hem te hulp schoot om Agrippina uit het zijspan te verlossen, sprak haar gedachte uit.

'Ik ben geenszins een heilige,' weerlegde Wibbe bescheiden.

'Jammer,' zei de verpleegster – ze kende al genoeg gewone mensen.

'Ik heb je woorden ter harte genomen en Agrippina terstond nog eens onderzocht,' zei Wibbe tegen de vermoeide psychiater met de halve bril. 'Je had gelijk: ze moet opgenomen worden. Ik ben je erkentelijk voor het feit dat je me op haar mogelijke toestand attendeerde. Jou komt alle eer toe.' Hij schoof zijn collega de restanten van Agrippina toe. Hij had haar niet meer nodig.

De simpele vrede die hoort bij het voltooid hebben van een karwei, daalde over hem neer. Hij zou staande hebben kunnen slapen.

'Ze slaapt,' zei de psychiater. 'Die hysterica, bedoel ik. Ik heb haar in een isoleercel gelegd. Ze ging verschrikkelijk tekeer. Ze had het alsmaar over jou en Lupo en ene Max.'

Wibbe deed er neutraal het zwijgen toe.

De psychiater barstte in lachen uit. 'Wibbe, ouwe rakker!'

'Ja, die vrouwen,' zei Wibbe.

'Vrouwen!' riep Max uit. Hij boog zich over de besmeurde Biba. Het water droop uit zijn haren. Hij zei: 'Je bent een onnozele hals.'

'Oom Lupo!' schreeuwde Ebbe. 'We blijven niet tot Sint Juttemis in de regen rondsoppen terwijl zij waarschijnlijk allang hoog en droog binnen zitten.' Zonder verdere plichtplegingen nam ze de leiding van de expeditie over en begon op huis aan te koersen. Er was geen enkele reden om zo maniakaal door het bos te rennen alsof er sprake was van levensgevaar. Het ergste wat Laurie en haar kinderen kon overkomen, was een zware verkoudheid. En wat Marrie betrof: die overleefde alles.

Max hield er een andere mening op na. Die imbeciel had zijn kinderen meegesleept in gruwelijke gevaren. Die imbeciel was op zichzelf al een gevaar. Die imbeciel had geen beschaving en geen normbesef.

Dit ging Lupo te ver. Luidkeels citeerde hij: 'Mirabeau: Het beetje wijsheid dat de wereld bezit, is er ingebracht door gekken. Rabelais: Een wijs man leert nog van een gek.'

'Ik zie liever dat mijn kinderen niets leren van die gek,' zei Max.

'Marrie is iemand van wie wij veel houden,' zei Ebbe bits. 'Het is kwetsend om haar een imbeciel te noemen.'

'Je moet niet bang zijn om de dingen bij hun naam te noemen,' zei Max.

'Dikke hufter,' zei Ebbe. 'Jouw familie kan me eigenlijk helemaal niet bommen. Ik ben op zoek naar onze eigen kleine garnaal die allang in haar bedje had moeten liggen.' En toen trok ze een reusachtige theemuts van ongenaakbaarheid over zich heen.

'Als alles maar goed is met moeder,' mompelde Lupo. 'Als Wibbe haar maar heelhuids door dat hondeweer in het ziekenhuis gekregen heeft.'

'Arme Agrippina,' zei Biba, 'arme Wibbe.'

'Wibbe is een vuile verlinker die zomaar geheimen rondstrooit,' riep Ebbe over haar schouder.

'We hebben allemaal wel eens behoefte om ons hart te luchten,' begon Lupo miserabel. 'Laten we ons er over verheugen dat hij zo ferm en zelfstandig optreedt in deze crisis.'

'Dat vind ik heel goed van hem. Hij heeft vast niet in de gaten gehad dat hij z'n mond voorbij kletste,' zei Biba solidair. Ze hield Lupo's hand vast en kneep er vaak in.

'Stelletje runderen!' riep Max uit. Hij begon zeer onsympathiek te lachen. Zijn knappe gezicht veranderde er helemaal door. 'Die zielige Wibbe van jullie is in werkelijkheid jullie bewaker en jullie arts.'

Onder haar theemuts giechelde Ebbe.

'Hij is psychiater, hij heeft het me zelf verteld,' zei Max zelfvoldaan.

'Ja hoor, Max,' zei Ebbe.

'Hij bewaakt en controleert jullie en jullie zijn nog te stom om dat door te hebben!' riep Max uit. Hij lachte iets minder breed.

'Ja hoor, Max,' zei Biba.

'Hij doet alleen maar net alsof hij gek is om jullie in de luren te leggen,' zei Max. Hij keek een beetje raar.

'Allicht,' zei Ebbe.

'Welzeker,' zei Biba.

Lupo glimlachte. Hij was werkelijk verheugd. Hoe enorm moest Wibbes gevoel van eigenwaarde gegroeid zijn! Van klusjesman tot psychiater. En hoe origineel. Ah, als de fantasie weer ging werken, ging het goed met een mens. Dat besef verwarmde zijn bange hart. Als het beter ging met zo'n ernstig geval als Wibbe, dan was er voor iedereen nog hoop op een goede afloop.

'Als dat maar goed afloopt,' zei de verpleegster toen Laurie knikkebollend in het zijspan geplaatst was.

'Ik neem haar mee,' had Wibbe doodleuk gezegd en louter omdat hij geacht werd bij zinnen te zijn moest dat idiote plan ook meteen uitgevoerd worden. Je had in feite minder last van iemand die meende een door God gezonden profeet te zijn die de vernietiging van de mensheid kon voorkomen door z'n eigen excrementen op te eten. 'Ik ben drijfnat geworden,' zei de verpleegster humeurig.

'Welterusten,' zei Wibbe en trapte de motor aan.

Volgende week zou hij op de commissievergadering zeker geprezen worden over zijn verantwoordelijke optreden inzake het geval Agrippina. Als hij Laurie nu onder de wol kreeg en het gezinnetje morgenvroeg vertrok, dan kon zijn project ongehinderd zijn oude loop hernemen. Het zou razend interessant zijn om te zien wat er met Lupo gebeurde als Agrippina overleed. Als hij catatonisch werd, zou Wibbe een prachtkans hebben om te bewijzen dat zelfs opperste waanzin in vrijheid te genezen valt. Hij kon haast niet wachten.

'Waar wachten we nog op?' zei Ebbe toen ze doorweekt en buiten adem met z'n allen de tuin weer betraden. Het rommelde ginder nog na en een enkele late flits schichtte in de verte blauw tegen de lucht.

'We kunnen het toch niet zomaar opgeven,' aarzelde Lupo.

'Ze zitten binnen,' hield Ebbe vol.

'Laten we dan eerst nog even in het botenhuis kijken,' zei Biba bij wijze van compromis. Ze was allang blij dat ze zelf nog steeds niet verdwenen was. Ze opende de krakende deur. Het water klotste en het vermolmde hout kreunde. Aanvankelijk zag ze niets.

4

Laurie stroomde vol met onbegrijpelijke beelden. Ze zag Agrippina. Om haar heen was een veelkleurig aura waarneembaar, banen suizelende energiebolletjes die meezinderden met Agrippina's bewegingen. Met een koperen lepel sloeg ze schedelgrote eieren stuk en lepelde de lillende inhoud op. 'Tweehonderdvijftig miljoen hersencellen verliest de mens gedurende zijn leven,' zei ze.

Toen spleet het aura open. As, sintels en gloeiende damp spoten te voorschijn, gevolgd door een zilveren rondheid die met duizelingwekkende snelheid en een doffe dreun dwars door het plafond omhoog schoot. Werkelijk opmerkelijk was, dat Agrippina een dimensie miste. Ze was zo plat als een dubbeltje. Het leek wel alsof ze op bordkarton geplakt was en uitgeknipt.

Met Wibbe was hetzelfde aan de hand. Ineens zat ze naast Wibbe in de achtbaan en werd ze opgepakt en neergesmakt en door elkaar geschud terwijl hij diabolisch lachte. Er leek nooit een einde te komen aan de spookachtige rit en aan het geschater van de bordkartonnen Wibbe. De wereld suisde voorbij. Laurie wenste dat ze zich aan iets of iemand kon vastklampen. Meteen hoorde ze Lupo's stem. 'Het geheim van liefhebben is dat je de ander geeft wat hij verlangt in plaats van dat je neemt wat je zelf wenst,' zei hij met zoveel treurigheid dat het Laurie de tranen naar de ogen joeg.

'Stel je niet aan,' zei Max.

Ze opende haar ogen. Ze zag weer perspectief. Ze zag diepte. Tegenover haar zat Max en beet in een broodje. Er was sprake van een verzameling witijzeren tafeltjes met parasols, waaronder mensen in vrolijke kleding koffie zaten te drinken. Er rinkelde gerei, iemand lachte en een meisje met een kanten schortje deelde glazen limonade en gebak rond. Ze bevond zich op een terras.

'Hou in vredesnaam op met knikkebollen,' zei Max. 'Je maakt mij niet wijs dat dat middel nog altijd niet is uitgewerkt. Stel je niet aan, Laurie. Het is verdomme al twaalf uur. We kunnen zo dadelijk de auto ophalen.' Hij zat er ongeschoren en slechtgehumeurd bij.

Zijn overhemd stond iets te ver open. Laurie zag het allemaal met grote helderheid. Toen was ze weer met Wibbe op de kermis. Ze hadden de achtbaan eindelijk verlaten en aarzelden nu tussen het spookhuis dat in de verte verlaten oprees en het griezelkabinet, waarvoor het volk te hoop liep. De menigte zoog hen zonder pardon mee naar binnen. Het was er tamelijk donker. Het duurde even voordat Laurie iets van de voorstelling zag.

Er waren drie dwergen. De kleinste was geheel ontkleed. Hij zat vast aan een lang touw. De twee anderen lieten hem kunstjes doen. Ze lieten hem springen en dansen en buigen. Ze lieten hem op één been staan. Ze lieten hem knielen. Hij moest de sterkste dwerg van de wereld zijn: de andere twee gingen op z'n borst staan. Met een arm om elkaars middel en de andere sierlijk geheven, namen ze het applaus in ontvangst. In de hand van de grootste blonk een mes.

'Na het villen,' sprak hij, 'zal de aanblik van dit gedrochtje prettiger zijn. Wat u aan zijn verschijning vrees aanjaagt, is de verraderlijke gelijkenis met een mensachtige. Als we die vermomming verwijderen, zal blijken wat de ware aard van dit wezen is. We zullen beginnen met het gelaat.'

Zijn assistent zette de kleinste op z'n spillebenen en trok het ronde kabouterhoofd achterover. Het mes glom. Het maakte een kriskrassend gerucht. Hard begon de blote kabouter te zingen. Nog net was zichtbaar hoe de wirwar van kerven opensprong. Toen rees het publiek als één man juichend op. Laurie raakte beklemd tussen de knisperende, papierdunne lichamen die naar voren stormden om niets te missen.

'Pas op!' schreeuwde de dwergenleider. Ze zag zijn ogen fonkelen. Zijn gezicht kreeg er een dimensie bij. Zijn wangen werden rond. Het zonlicht bescheen zijn wipneus. 'Kijk nou uit, mama,' schreeuwde hij, 'je gooit alles om.'

Laurie liet het rammelende tafeltje los en bleef verkrampt voorovergebogen zitten. Ze stikte zowat. Eindelijk hief ze haar hoofd.

'Max, wat is er gebeurd?' hijgde ze.

'Ik heb afgerekend. We kunnen gaan. Kom, jongens,' zei Max.

Onzeker kwam Laurie overeind. Ze werd bijna meteen onder de voet gelopen door mensen die gretig op het vrijgekomen tafeltje afkwamen. 'Wat een bui was dat vannacht,' zei de een. 'Het is onvoorstelbaar dat het nu weer zo'n prachtige dag is. Het is net alsof het nooit geonweerd heeft,' zei de ander.

Gelijk een slaapwandelaar baande Laurie zich een weg over het overvolle terras. Ver voor zich uit zag ze Max' rug met aan weerskanten een miniatuuruitgave ervan. 'Max!' riep ze.

Hij stond stil voor een etalage met huishoudelijke artikelen.

'Wat is er vannacht gebeurd?' riep Laurie.

'Je was verdoofd,' zei Max. 'Net iets voor jou om je per ongeluk in een psychiatrische inrichting plat te laten spuiten.'

'Maar wat hebben jullie ondertussen uitgespookt?' vroeg Laurie wild aan haar zoontjes. Ze keken haar zonder uitdrukking aan.

'Geslapen,' zei de oudste ten slotte.

'Maar ik herinner me,' riep Laurie uit.

'Wat herinner je je?' vroeg Max.

Laurie kreeg het niet over haar lippen.

'Je hebt gedroomd,' zei Max vlak bij haar gezicht. 'Arme schat, heb je van dat paardemiddel nachtmerries gekregen? Toen we vanochtend weggingen, was je nog half bewusteloos.'

Laurie wenste dat ze onbevangen aan zijn arm kon gaan hangen. Waarom kon ze haar hoofd niet op zijn schouder leggen? Ze had zijn verhalen toch altijd graag willen geloven? Ze vroeg: 'Kunnen we er straks nog even langs rijden? Ik wil iedereen zo graag gedag zeggen en bedanken voor alle hulp.'

'Nee hoor,' riepen de jongetjes in koor.

'Waarom niet?' schreeuwde Laurie onmiddellijk. Ze kon ze wel door elkaar rammelen.

Voorbijgangers stonden stil en wierpen spottende blikken. Max rukte aan haar arm. 'Beheers je,' siste hij. 'Je gedraagt je compleet overspannen en hysterisch. Natuurlijk gaan we er niet meer heen. We gaan eindelijk aan onze vakantie beginnen.'

Hij zweeg even en bezag haar met z'n ergste röntgenblik. Ze

wist zeker dat hij dwars door haar heen kon zien en zich ergerde aan al wat hij zag. Ze kreeg een vreselijke zin in een sigaret, maar als ze die hier zomaar midden op straat opstak, zou Max haar ongetwijfeld het gevoel bezorgen dat ze er wel drie tegelijk rookte en dat haar armbanden te hard rinkelden.

'Je ziet er verschrikkelijk uit,' hernam Max. Hij sloeg zijn armen over elkaar en glimlachte. 'Jij kunt ook niet veel hebben, Laurie. Je bent meteen van de kaart van het onnozelste voorval. Je moet jezelf een beetje ontzien, anders beland je ooit nog echt in een inrichting.' Hij draaide zich om en wees iets in de etalage aan.

'Wat zeg je nou?' vroeg Laurie.

'Wil je een nieuwe stofzuiger?' herhaalde Max.

'Pap, gaan we nou?' vroeg de oudste.

'Hoi, naar Elba,' riep de jongste.

De garage was slechts een paar straten verderop, maar het kwam Laurie voor alsof ze een voettocht rond de wereld maakte. Ze voelde zich hopeloos verward. Als haar herinneringen nu niet klopten, wanneer hadden ze dan wel geklopt? Was er ooit wel sprake geweest van de achter haar liggende jaren? Was er ooit wel sprake geweest van een leven met Max en de jongetjes? Ze moest kiezen: ofwel alles was waar gebeurd, inclusief haar nachtmerrie, ofwel alles was een droom geweest. Het was van het grootste belang dat ze koos. Het had op de een of andere manier met overleven te maken.

De lucht van afgewerkte olie sloeg haar tegemoet. 'Ik wacht wel even buiten,' zei Laurie. Ze ging op een paaltje zitten. Om haar heen raasde het leven voort. Vakantiegangers, bromfietsers en een vrouw met een boodschappentas passeerden haar. Koos ze voor het vasthouden aan de echtheid van haar bestaan, dan had ook haar nachtmerrie werkelijk plaatsgevonden. Koos ze voor het fictief verklaren van haar herinnering aan de nacht, dan verklaarde ze haar hele leven tot een loze illusie. Het was zo overzichtelijk als wat: hoe ze ook koos, geluk was er niet mee gemoeid. Het was de vraag met welke leugen ze liever wilde leven.

Laurie stak haar handen in haar zakken en stond op. Daar draaide de auto de garage al uit. Het was niet te zien dat er ooit iets mee gebeurd was.

———————

RENATE DORRESTEIN

Renate Dorrestein wordt op 25 januari 1954 geboren in Amsterdam. Het gezin – vader advocaat, moeder tot haar huwelijk onderwijzeres – telt drie dochters en een zoon. Al op de lagere school schrijft zij 'boeken', en op de middelbare school – gymnasium alfa in Amstelveen – wacht zij vol verwachting op het oordeel van haar leraar Nederlands over een zojuist door haar voltooide roman. Dat oordeel blijft uit – sterker nog, de leraar vertelt Dorrestein ten slotte doodleuk dat hij het manuscript is kwijtgeraakt. De verbijsterde Dorrestein besluit dat deze slordigheid maar op een manier gewroken kan worden: door een beroemd schrijfster te worden.

Studeren wil Dorrestein niet, wel zo snel mogelijk financieel onafhankelijk van haar ouders zijn. Dus volgt zij een cursus tijdschriftjournalistiek en krijgt in 1972 een baan bij het weekblad *Panorama*, waar zij de eerste vrouw in de redactie is. Tijdens de vier *Panorama*-jaren maakt zij veel buitenlandse reportages over hongersnoden, oorlogen en ander leed. In dit mannenbolwerk krijgt zij bovendien oog voor onrechtvaardigheden die veel dichter bij huis liggen: discriminatie en onderdrukking van vrouwen door mannen. 'Aan *Panorama* dank ik dat ik in no time superfeministisch werd,' aldus Dorrestein. Na *Panorama* volgen enkele freelance jaren, waarin zij onder meer werkt voor *Het parool*, *De tijd*, *Viva* en *Opzij*. Een jaar is zij ook nog hoofdredactrice van het (inmiddels verdwenen) maandblad over relaties *Mensen van nu*, vóór zij in 1982 in dienst treedt bij *Opzij*.

Tussen de bedrijven door was zij trouw aan haar tienervoornemen romans blijven schrijven, maar de manuscripten werden stuk voor stuk afgewezen. Te 'larmoyant', te 'uitleggerig', vindt Dorrestein ze zelf achteraf. Pas wanneer zij ontdekt dat ernstige zaken ook luchtig opgediend kunnen worden, vindt zij haar draai als schrijfster, én een uitgever. Zo verschijnt in 1983 haar eerste roman *Buitenstaanders*, die al binnen een half jaar twee maal herdrukt moet worden. Het bizarre verhaal over een doorsnee-gezin dat na een auto-ongeluk in een open inrichting verzeild raakt, maakt meteen duidelijk dat het Dorrestein niet om de alledaagse werkelijkheid te doen is. 'De werkelijkheid,' zegt zij, 'daar is al voldoende van. Vertel me liever een goed verhaal.' En in een lezing legt zij uit: 'Ik heb geen enkel respect voor de officiële werkelijkheid die zich als de enige echte en waarachtige aan ons opdringt [...]. Ik wil laten zien dat de werkelijkheid een achterkant en een spiegelbeeld heeft; mijn schrijvende vlucht eruit bedoelt voornamelijk duidelijk te maken dat er méér is en dat niemand zich hoeft te laten foppen door de gedachte dat dat wat niet algemeen zichtbaar is, niet zou bestaan.'

In 1984 verschijnt haar volgende roman, *Vreemde streken*, een grimmig sprookje over de ongelijkwaardige relatie tussen een succesvol schrijfster en een mislukte beeldhouwster. Sprookjesachtig is ook *Noorderzon* uit 1986, waarin de hoofdpersoon – gekweld door schuldgevoelens over een door haar veroorzaakt ongeluk – naar een geheimzinnig eiland afreist waar de vreemdste dingen gebeuren. Niets is Dorrestein te dol, constateert menig recensent, al dan niet zuchtend. Anderzijds is er ook groot enthousiasme over de mateloosheid van verwikkelingen in haar verhalen en de manier waarop zij de ene bizarre gebeurtenis over de ander laat rollen en daarbij alle touwtjes strak in handen houdt.

In 1986 zegt Dorrestein haar baan bij *Opzij* op en vertrekt voor een jaar naar Amerika, waar zij door de universiteit van Michigan is uitgenodigd om lezingen en colleges te geven. Na haar terugkeer is zij vastbesloten zich volledig aan het schrijven van romans te wijden. Dat najaar verschijnt *Een nacht om te vliegeren*, waarin een verminkt vijftienjarig meisje als weinig betrouwbare vertelster fungeert. In een lezing kort na het verschijnen van die roman plaatst Dorrestein haar romans in de traditie van de achttiende-eeuwse *gothic novel*. Met deze schrijfsters van 'diabolische sprookjes' deelt Dorrestein 'een hang naar het fantastische, het gruwelijke, het gewelddadige, een fascinatie met broeierige atmosferen, psychische onevenwichtigheden en zogenaamde waanvoorstellingen, en een voorliefde voor grotten, kastelen en andere geïsoleerde plaatsen waar het kwaad zich onherroepelijk zal voltrekken'.

Bij diezelfde gelegenheid spreekt Dorrestein ook voor het eerst over haar jongere zusje dat begin jaren tachtig na een lange lijdensweg van een flat sprong. Na vier romans was het tot Dorrestein doorgedrongen hoe vaak er in haar werk sprake is 'van personages die van daken, balkons en rotsen springen of worden geduwd, maar dan niet te pletter vallen zoals mijn zusje. Er zijn altijd wonderlijke omstandigheden of hulpmiddelen die maken dat mijn personages veilig wegvliegen. [...] Geen moeite is mij teveel om de bons waarmee het lichaam tegen de wereld stukslaat niet te hoeven horen.'

Op dat moment werkt Dorrestein aan een sterk autobiografische roman over de zelfmoord van haar zusje, die eind 1988 verschijnt onder de titel *Het perpetuum mobile van de liefde*. Met een in woede gedoopte pen legt zij een rechtstreeks verband tussen de lijdensweg van haar zusje, die aan de eetziektes boulimia en anorexia leed, en het knellende, door mannen bedachte rolmodel voor vrouwen. Daarnaast probeert zij af te rekenen met de haar al jaren obsederende schuldgevoelens: zij had haar zusjes zelfmoord niet kunnen voorkomen en bovendien, na de dood van haar zusje, die zelf zo graag schrijfster had willen worden, brak Dorrestein door. Over de felheid van deze roman, die sommige critici tegen de borst stuitte, zei zij in een interview met *Opzij*: 'Ik word met het vorderen van de jaren alleen maar radicaler en kwaaier. Ongeduldiger. Tegen de tijd dat ik aan mijn volgende memoires toe ben, ben ik een soort kerncentrale.'

Verontwaardiging en woede bepalen ook grotendeels de toon van de columns die Dorrestein sinds 1981 maandelijks in *Opzij* en sinds 1984 wekelijks in *De tijd* publiceerde. Een bundeling ervan verschijnt in 1988 onder de titel *Korte metten*. Speciaal voor het jaar 1990, waarin de overheid voortaan wettelijk van meisjes gaat eisen dat zij vanaf hun achttiende in hun eigen inkomen voorzien, verschijnt het drie-in-één-boek *Vóór alles een dame* (1989), een combinatie van een roman, een almanak en een receptenboek voor calorierijke taarten.

In *Het hemelse gerecht* (1991), Dorresteins volgende roman, is de lokatie een afgelegen restaurant aan een rivierdijk, succesvol bestierd door twee zussen, die op geheel eigen wijze voorkomen dat hun gezamenlijke minnaar hen verlaat. Terwijl zij aan deze roman de laatste hand legt, openbaart zich bij Dorrestein een slopende, maar niet dodelijke ziekte: het zich vooral door extreme vermoeidheid kenmerkende ME, afkorting van Myalgische encephalomylitis. Haar 'radeloze paniek' dat zij door haar ziekte nooit meer een boek zal kunnen schrijven, blijkt niet terecht: in 1992 verschijnt *Ontaarde moeders*, waarin hoofdrollen zijn weggelegd voor een zorgende vader en zijn fantasierijke dochter tegen de achtergrond van een immer afwezige moeder. Uitgesproken autobiografisch is de documentaire-in-boekvorm *Heden ik* uit 1993, waarin zij hartverscheurend humoristisch over haar ervaringen als ME-patiënte schrijft. Een deel van de inkomsten uit dit boek stelt zij ter beschikking aan een door haar opgerichte stichting, die het wetenschappelijk onderzoek naar ME wil stimuleren. Datzelfde jaar wordt haar de Annie Romein-prijs toegekend, de tweejaarlijkse literaire prijs van *Opzij*.

Sindsdien zijn er nog twee romans van Dorrestein verschenen: in 1994 de psychologische thriller *Een sterke man*, en twee jaar later de roman *Verborgen gebreken*, die tv-presentatrice Hanneke Groenteman tegenover de schrijfster doet verzuchten: 'Ik heb zo genoten van het boek, ik heb zo gelachen, en toen ik het uit had werd ik er helemaal beroerd van.' In 1997 verschijnt van haar hand nog het Boekenweekgeschenk.

De ontvangst van Buitenstaanders

Over de reacties op haar debuut heeft Renate Dorrestein bepaald geen klagen gehad. Zelf noemde ze het in een interview 'krankzinnig goed ontvangen. Lovend besproken, heel goed verkocht, echt een droom die uitkwam.'

Inderdaad is er veel lof, variërend van 'een van de meest originele debuten van de afgelopen maanden' tot 'een krankzinnig

goed boek'. Voor de meeste recensenten is de schrijfster dan nog
een volslagen onbekende die geheel blanco tegemoet wordt ge-
treden. Zo niet voor Gerrit Jan Zwier van de *Leeuwarder courant*,
die weet dat Dorrestein verbonden is aan het feministische
maandblad *Opzij*. En op feminisme heeft Zwier het nu eenmaal
niet zo begrepen: hij vindt het voor mannen een 'irritant fenomeen', omdat 'je individualiteit ontkend wordt en verdwijnt in het
stereotype van de hanige, gewelddadige, zelfingenomen, streberi-
ge seksist'. Ruiterlijk geeft Zwier toe dat hij dan ook 'met enig
wantrouwen' aan Dorresteins debuut was begonnen. En het viel
hem alleszins mee: 'Maar *Buitenstaanders* blijkt allesbehalve een
bedillerig en drammerig boek te zijn [...]. Verre van dat! De roman van Renate Dorrestein is een met veel vaart en flair geschreven (zwarte) komedie, vol bizarre mensen en vreemde gebeurtenissen.'

Wat is waan en wat is waar? En wat is er eigenlijk erger: gek of
normaal? Deze thematiek van *Buitenstaanders* roert elke recensent
wel even aan. Rob Schouten van *Trouw* vindt dat Dorrestein 'met
het vuur van onze werkelijkheidswaarneming' speelt. De zeer en-
thousiaste Wim Sanders van *Het parool* noemt *Buitenstaanders*
'beurtelings [...] een boosaardig sprookje, een absurde vertelling,
een verslag van een vastgelopen huwelijk en een onderzoek naar
wat nu eigenlijk gek is en wat normaal'. De genoemde thematiek
vindt Sanders niet het interessants: 'Werkelijk voortreffelijk en
origineel zijn daarentegen de typeringen van de bewoners van de
gemeenschap, terwijl Dorrestein op bewonderenswaardige wijze
de volkomen verschillende denkpatronen van haar "krankzinnigen" met elkaar in overeenstemming heeft weten te houden.'

Bewondering is er ook voor de compositie van *Buitenstaanders*,
die volgens de al eerder genoemde Zwier geheel voldoet aan de
'eis van Hermans' dat er in een roman geen mus van het dak mag
vallen zonder dat dat een gevolg heeft. Wim Sanders roemt in dit
verband Dorresteins zorg om het detail: 'elke gebeurtenis – hoe
klein of absurd ook – heeft betekenis voor het verhaal.' Dat vindt
ook Reinout Hogeweg van *Vrij Nederland*: 'álles heeft in dit boek
een functie. Of er nu sprake is van een zwaan of een stofzuiger, het

blijkt vroeg of laat een betekenis te hebben. Een helder hoofd bij eerste lezing én herlezing is dan ook een voorwaarde.' Ook P.M. Reinders van *NRC Handelsblad* beveelt een tweede lezing van harte aan: 'Maar de tweede keer, toen de verrassingen weg waren, vond ik het boek nog beter dan de eerste keer. Dan pas zie je hoe alles bij elkaar aansluit en hoe onweerstaanbaar komisch de ernst gepresenteerd kan worden.'

Aangeland bij de stijl hanteren de recensenten termen als 'klucht', 'spektakelstuk' en 'vuurwerk'. Gerrit Jan Zwier noemt *Buitenstaanders* 'in de eerste plaats een dartel boek, waarin de klemmende morele problemen van Opzij [...] godzijdank niet aan de orde zijn'. Van Rob Schouten had het juist allemaal wel wat minder 'jolig' gemogen: 'Door te chargeren en te ironiseren weet Renate Dorrestein het wat teleurstellende gevoel bij de lezer te bewerkstelligen, dat je haar thema [...] maar niet al te serieus moet nemen.' Reinout Hogeweg snakte soms 'naar een iets minder schitterend taalgebruik. Technisch blijkt zij tot alles in staat, maar al dat verbale vuurwerk wordt soms wel erg vermoeiend.' Enigszins verbaasd constateert P.M. Reinders dat Dorresteins originaliteit voor een belangrijk deel te danken is aan haar gebruik van clichés uit de wereld van kasteel- en doktersromannetjes en meisjesboeken: 'De zgn. clichés, met hun parodistische werking, relativeren de situatie steeds en geven het boek een ongewoon komische kracht.'

Hoe origineel ook, verwantschap met andere schrijvers is er volgens sommigen ook. Zo kwamen bij Reinout Hogeweg al na enkele bladzijden herinneringen op aan *De Metsiers* van Hugo Claus, al is dat volgens de *Vrij Nederland*-recensent hooguit een inspiratiebron, 'van epigonisme [slaafse navolging; tvw] is zeker geen sprake'. Gerrit Jan Zwier moest denken aan een andere Nederlandse schrijfster, Marijke Höweler: 'Beide schrijfsters beelden kinderen met sardonisch genoegen uit als vervelende, wrede pestkoppen, en bij beiden komt eenzelfde aandacht voor gestoorde figuren en zelfmoord voor.' En Wim Sanders zou niet verbaasd zijn als Dorrestein 'zich eerder thuis voelt bij Amerikaanse schrijvers als Heller, Irving en Vonnegut dan bij Nederlandse literatuur'. De laatste heeft Dorrestein inderdaad en bij herhaling als haar 'literaire peetvader' aangewezen: 'Ik ben gek op Kurt Vonnegut. Een heel effectieve vermenging van ernst en luim, ik moet er altijd zo verschrikkelijk om lachen, met tranen in mijn ogen, ik vind het zó mooi.'

Van een doorbraak van Dorrestein in Amerikaanse en andere taalgebieden is het niet echt gekomen, al was het dagblad de *Frankfurter Allgemeine* bij het uitkomen van de Duitse vertaling van *Buitenstaanders* behoorlijk enthousiast. De recensente vindt Dorrestein vooral een indrukwekkend '*komisches Talent*' en *Buitenstaanders* een staaltje van 'zeldzaam vrolijk feminisme'.

Tonny van Winssen